YVES TROTTIER

LES TIGRES BLEUS

1. LE ROYAUME DE SABLE

Gouvernement du Québec – Programme de crédit d'impôt
pour l'édition de livres – Gestion Sodec

Nous reconnaissons l'aide financière du gouvernement du Canada
par l'entremise du Fonds du livre du Canada pour nos activités d'édition.

Tigres bleus 1. Le royaume de sable

info@lesmalins.ca

Éditeur: Marc-André Audet
Éditrice au contenu: Katherine Mossalim
Correcteurs: Jean Boilard, Fanny Fennec et Dörte Ufkes
Illustration de la couverture: Ludo Borecki
Direction artistique et conception de la couverture: Shirley de Susini
Illustration de la carte: Shirley de Susini
Mise en page: Diane Marquette

Dépôt légal – Bibliothèque et Archives nationales du Québec, 2017
Dépôt légal – Bibliothèque et Archives Canada, 2017

ISBN: 978-2-89657-393-6

Imprimé au Canada

Les éditions les Malins inc.
Montréal, QC

YVES TROTTIER

LES TIGRES BLEUS

1. LE ROYAUME DE SABLE

À Mia et Lilya.
Au bonheur que vous incarnez.

Rien n'est plus souple et plus faible au monde que
l'eau. Pourtant, pour attaquer
ce qui est dur et fort, rien ne la surpasse.
Et personne ne pourrait l'égaler.
Lao Tseu

Sois l'eau, mon ami.
Bruce Lee

LISTE DES PERSONNAGES

ALLIANCE DU DÉSERT DU SUD

Clodomir : seigneur de Val-d'Ombre et membre de l'Alliance du Désert du Sud.

Bertrand : fils de Clodomir.

ANGLE-SUR-LAC

Général Lothar : seigneur d'Angle-sur-Lac et chef de l'Alliance du Désert du Sud ; père de Lia et de Zaki.

Azara : femme du général Lothar et mère de Lia et de Zaki.

Lia : fille du général Lothar et sœur jumelle de Zaki.

Zaki : fils du général Lothar et frère jumeau de Lia.

Maître Tacim : grand maître de l'art martial de la Voie de l'eau.

Ostarak : chamane du village d'Angle-sur-Lac.

Berthol : lieutenant de la milice et instructeur des novices.

CITÉE ROYALE DE BRAVOR

Eutrède d'Enguerrand, dit le Pacificateur : dernier roi du royaume unifié de Hudor.

Adelphe d'Enguerrand : roi du Tosmor, descendant de la dynastie des Enguerrand.

Céria d'Enguerrand : princesse héritière du trône de Hudor. Fille du roi Adelphe d'Enguerrand.

Albéric Cyprien : officier de l'Ordre des Enguerrand au service du roi Adelphe.

Aubert Tibaud : officier de l'Ordre des Enguerrand au service du roi Adelphe.

FORTERESSE ROUGE

Morfydd le Brutal : seigneur de la Forteresse rouge.

Ader : mi-homme, mi-singe mandrill, commandant des puissants guerriers Mandrills rouges soumis à Morfydd.

L'Ardent : grand prêtre du culte d'Ignos, le dieu du feu.

PROLOGUE

— Zaki, tu crois que les Tigres bleus ont existé ?

— Ils ont inventé l'art martial de la Voie de l'eau.

— C'est ce qu'on dit, marmonne Lia, non convaincue.

— La légende affirme que...

— Pff ! Je ne crois pas aux légendes. Où se cachent ces fameux guerriers ?

— Leurs descendants vivent parmi les peuplades du royaume.

— Tu y crois ? Je veux dire, qu'attendent-ils pour se manifester ?

— La légende dit qu'au retour de la déesse Badra, les Tigres bleus renaîtront et repousseront avec l'aide de leurs descendants les forces du feu qui ravagent la terre.

LE MYTHE DU GRAND RÉCHAUFFEMENT

Il y a plus de mille ans, une végétation luxuriante recouvrait le royaume de Hudor. L'immense territoire, ponctué de lacs poissonneux et sillonné par d'innombrables rivières, s'épanouissait au pied du massif de l'Éternel, jusqu'à la mer du Lointain. L'alliance entre Badra, la déesse des eaux, et Ignos, le dieu du feu, assurait la paix. Le couple divin, source de la vie, maintenait l'alternance des saisons et garantissait une judicieuse harmonie en toutes choses.

Or, le cœur ardent d'Ignos souffrait. Restreint par les lois de l'équilibre, le dieu du feu ne pouvait s'épanouir. Animé d'un désir insatiable, son esprit révolté réclama une plus grande part du royaume. Il commença par imposer un été plus long, puis l'automne disparut. La température grimpa. Même l'hiver se réchauffa. Badra tenta de raisonner Ignos, mais l'ambition le consumait tout entier.

L'immortel s'entêtait à souffler toujours plus fort sur la terre qui s'asséchait. Bientôt, Badra intervint. Avant que le dieu du feu ne gagne trop en puissance et qu'un vaste désert ne recouvre le royaume, la déesse ouvrit les voûtes du ciel, déclenchant des averses torrentielles. Ignos répliqua en crachant la foudre. Un furieux combat s'engagea entre les deux déités. L'équilibre était rompu : les eaux comme le feu ravagèrent les territoires de Hudor. Constatant la ruine à laquelle leur affrontement destinait le continent, Badra proposa une trêve. Ignos se montra sage et accepta de suspendre les hostilités.

Or, le dieu du feu n'avait point renoncé à son rêve de domination. La trêve lui fournissait l'occasion de prendre l'avantage sur Badra. Il attendit que le sable des Terres brûlées au sud du fleuve Vital s'assèche pour, de son souffle brûlant, provoquer une tempête de sable qui balaya le royaume. La déesse des eaux voulut contre-attaquer, mais il était trop tard. La poussière en suspension dans l'air formait une masse opaque au-dessus des nuages et accroissait la chaleur au sol dans un effet de serre implacable. Pendant les années qui suivirent, la canicule décima les populations, détruisit les forêts, assécha les lacs et les rivières. Lorsque le ciel s'éclaircit enfin et que l'air s'adoucit de quelques degrés, le paysage pétrifié qui apparut n'était plus que l'extension des Terres brûlées. Ignos avait triomphé. Il avait chassé la déesse Badra et les saisons.

Les cités, bourgs et villages qui avaient survécu au Grand Réchauffement se livraient désormais à des guerres impitoyables pour l'accès à l'eau potable. Des hordes de pilleurs et de détrousseurs semaient la terreur dans tout le royaume.

Malgré le chaos et la peur, l'espoir de jours meilleurs traversa les siècles. Selon les chamanes et les troubadours, un paradis terrestre existe toujours dans les territoires inaccessibles du Nord.

CHAPITRE 1

Angle-sur-Lac

Lia pouffe de rire. Un tout petit rire sucré, qu'elle étouffe aussitôt entre ses lèvres. La jolie novice retient son souffle, la moue crispée, coincée entre la franche rigolade et la nécessité de se plier à la discipline. Les muscles de son cou et de sa mâchoire se tendent. Ses épaules tressaillent. Elle voudrait bien détourner le regard pour mieux reprendre son sérieux. Mais on lui répète sans cesse de demeurer immobile, de regarder devant elle et de maintenir la position, talons collés, dos droit, bras le long du corps, poings fermés.

Si elle souhaite un jour rallier la milice, devenir une valeureuse guerrière, elle doit entraîner son corps et maîtriser ses émotions. Tout un tas de vieux sages aux sourcils hirsutes vous le diront : le talent ne suffit pas ! Il faut obéir. Se concentrer. Focaliser... Ne pas se laisser distraire. Suivre les règles... Discipline !

Lia n'a pas le choix. Obéir pour apprendre... Apprendre à obéir... Malgré son envie folle d'éclater de rire, elle regarde tout droit devant, les yeux fixes comme des billes.

— Garde à vous! ordonne le lieutenant Berthol.

Berthol, dont l'œil gauche a décidé à la naissance de renier le droit et de partir dans la direction de son choix, gueule de regarder devant.

— Regardez devant vous! Droit devant!

Quelle ironie! Droit devant? Le droit d'accord, mais le gauche? Le coq-l'œil vient d'être promu et dirige pour la première fois les exercices matinaux de maniement d'armes des novices. Lia n'a rien contre le jeune homme. Le pauvre ne fait que répéter l'enseignement reçu. Mais pour l'amour, comment est-ce possible qu'il ne saisisse pas le grotesque de la situation? Sa voix nasillarde écorche les murs de la palissade nord:

— Garde à vous! En place, repos! Garde à vous!

Lia n'a jamais compris pourquoi l'on doit passer d'une position à l'autre en moins de cinq secondes pour aussitôt revenir à la première. Elle déteste gesticuler sur le terrain de parade comme une marionnette manipulée par un maniaque de danse en ligne, sans musique.

À ses côtés, Zaki a adopté la posture de la parfaite petite statue martiale. Il fixe l'objectif posé au loin par son esprit discipliné. Le ciel pourrait cracher des lamas qu'il ne bougerait pas ! Lia donne un léger coup de coude dans les côtes de son frère jumeau. Aucune réaction, sinon un faible tremblement agacé du sourcil droit. Lia échappe de nouveau un petit rire, comme une fausse note soufflée dans un clairon fêlé.

— Quelque chose vous fait rire, cadette ?

Tu parles, Charles !

— Relevez le menton et regardez devant vous !

En trois pas secs, l'officier se dresse comme un piquet de clôture à quelques centimètres du visage de Lia. Oups ! Le lieutenant voit rouge ! Du moins d'un œil, car pour ce qui est du gauche, Dieu seul sait ce qu'il voit... La jumelle baisse les yeux, tâchant d'éviter le regard bidirectionnel du lieutenant. Son fou rire gagne ses poumons qui poussent l'air en saccades vers l'extérieur. La bouche bien fermée, pour ne pas s'esclaffer, elle émet malgré elle des sifflements aigus par le nez.

— Vous trouvez ça drôle?

— Non, Lieutenant! répond la jeune fille, le souffle court à force de lutter contre l'hilarité.

— À la corde!

À la corde pour avoir ri... *Quel sadique, ce crétin!*

Lia rompt les rangs avec nonchalance et se dirige au pas de jogging vers l'échafaud.

— Plus vite!

Oui! Oui! songe la jolie adolescente aux yeux en amande. Sa chevelure noire aux reflets bleutés ondule sous le soleil.

Autre accroc au règlement: Lia coiffe ses cheveux selon l'inspiration du moment. Ce matin, la jeune fille a osé insérer dans sa tignasse une broche colorée en forme de fleur.

— Enlevez-moi cette broche ridicule et attachez vos cheveux!

Lia s'immobilise et noue rapidement ses cheveux. D'un geste las, elle retire la broche et la range dans la poche droite de son pantalon.

En quoi la toque régimentaire des miliciens fera-t-elle de moi une meilleure guerrière, hein?

— Ça traîne ! Au pas de course, allez !

Lia n'a plus le goût de rire. Elle serre les dents pour ne pas répondre à son tortionnaire. Jusqu'à maintenant, on lui laissait porter les cheveux détachés. Ce lieutenant Berthol est un vrai casse-pied. Une vraie tête de nœud ! Par chance, il n'a pas remarqué la couleur du justaucorps qu'elle a enfilé sous la tunique. Un autre accroc au code vestimentaire.

— Cadette, halte !

Lia s'immobilise de nouveau et adopte la position du garde-à-vous.

— Vous vous pensez au cirque, cadette ?

Non, au zoo, espèce de babouin...

— C'est quoi, cette couleur de fillette ?

Mauve, imbécile ! T'es daltonien, ou quoi ?

— Vous déshonorez l'uniforme ! Que je ne vous reprenne plus à porter des vêtements ou des accessoires non réglementaires, c'est compris ?

— ...
— C'est compris ?
— Oui, c'est compris...

— Oui, qui?
— Oui, Lieutenant...
— PLUS FORT!
— OUI, LIEUTENANT!

Tandis que les autres novices reprennent les exercices sous le regard sévère de l'œil droit de Berthol, Lia agrippe la corde à nœuds et commence à grimper. La structure mesure dix mètres de haut.

— Pas celle-là! La lisse! jappe l'officier.

Lia saute au sol, soupire, puis empoigne la corde lisse.

Une fois en haut, elle redescend, puis recommence. Ses mouvements sont souples et agiles. Elle doit répéter la punition vingt-cinq fois. Pour un guerrier entraîné, l'incendie se déclare dans les muscles des bras dès la dixième montée. L'exercice se transforme alors en supplice. Personne ne se rend à vingt-cinq. Lia connaît bien cette sensation de brûlure. Ses écarts de conduite lui ont valu d'expier ses fautes à de nombreuses reprises sur l'échafaud. Si bien qu'elle détient le record de montées: dix-sept. Ni Zaki, ni même les miliciens n'ont réussi à dépasser quinze. À vrai dire, le véritable record a été établi par le général Lothar, le seigneur de guerre d'Angle-sur-Lac, le père de Lia et de Zaki.

Vingt-cinq. Il est monté à vingt-cinq reprises au sommet par la seule traction de ses bras, sans l'aide de ses jambes. Personne n'a jamais répété l'exploit.

Lia aime et admire son père. Lothar a combattu les guerriers les plus cruels du royaume de Hudor et a survécu à plus d'une centaine de batailles. Ses prouesses légendaires lui ont valu le statut de héros chez les villageois d'Angle-sur-Lac et des neuf autres villages alliés. Ses yeux ardents, sa longue chevelure noire, presque bleue, et sa stature colossale lui confèrent une allure de fauve indomptable. Lia admire sa férocité et son adresse au combat. Comme lui, elle souhaite devenir une guerrière redoutable, tenace et acharnée.

Au sommet, Lia jette un regard par-dessus la palissade. Le Désert du Sud, une immense mer de sable jaune, refoule l'horizon à la frontière de sa vision. Au loin, dissimulé aux creux des dunes, elle aperçoit Val-d'Ombre, le village voisin. De l'autre côté, à l'ouest, Bourg-des-Solstices. Les autres hameaux, fichés comme des échardes dans le sol brûlant, étincellent quelque part sous le soleil, hors de portée de vue.

Lia pousse un soupir, puis descend. Le supplice se poursuit. Sans surprise, les muscles de ses bras prennent feu à la dixième montée. La jeune fille grimace de douleur, mais pas question d'abandonner! Vingt-cinq! Elle vise le record de son père. Un filet de sueur coule le long de sa colonne vertébrale. Les sourcils froncés, les yeux plissés, la novice contrôle sa descente par petits bonds. Elle touche le sol du pied droit, puis reprend l'ascension. Un léger vent chargé de sable fouette son visage. La chaleur du soleil pèse sur ses épaules comme une lourde pierre. Elle contracte ses muscles et se hisse au sommet avec vivacité. Sa volonté l'élève comme un mouchoir dans le vent. La voilà en état d'apesanteur. Elle n'est plus qu'un esprit. Quinze! Seize! Elle ralentit. Ses mouvements perdent de leur fluidité. L'épreuve se transforme en torture. Tous les novices l'observent maintenant. Même Berthol n'en croit pas son œil droit.

Zaki joint les mains, puis commence à applaudir pour encourager sa sœur. Les autres novices l'imitent.

— Vas-y, Lia, t'es capable!

Berthol devrait ramener l'ordre dans les rangs. Mais l'implacable détermination de l'adolescente lui arrache de force un sourire impressionné.

Un chant, comme une incantation, s'élève et monte vers le ciel: «Lia! Lia! Lia! Lia!» La jeune fille glisse. La corde brûle ses paumes. Elle resserre la poigne et s'immobilise à deux mètres du sol. Encore quelques mouvements des bras, elle pose le pied par terre, puis s'élance de nouveau vers le haut. « Lia ! Lia ! Lia ! Lia ! » L'ascension se fait par à-coups.

Dix-sept ! La fille du général a égalé son propre record. Sous l'expression ébahie du lieutenant, Lia puise dans ses réserves. Les cœurs se serrent dans les poitrines. Peut-elle réussir ? Le sang des mains de l'entêtée rosit la corde par endroits. Ça y est ! Dix-huit ! Dix-neuf ! Les hourras fusent ! Des larmes coulent sur les joues de Lia. *Il va voir, ce connard,* se dit-elle. *Je vais fracasser le record de mon père... Ce foutu crétin de lieutenant devra me respecter !*

Vingt !

Lia touche la poutre au sommet de l'échafaud. Des murmures remplacent les hourras.

Puis tout devient blanc...

La petite rebelle se réveille au sol, vide d'air. Au-dessus d'elle, des visages inquiets. Celui de Berthol prend plus de place que celui des autres. Tout près... Trop près ! Il lui fait la respiration artificielle ! *Beurk !* Lia se redresse brusquement sur les fesses, inhalant d'un coup tout l'oxygène ambiant.

— Vous nous avez flanqué une sacrée frousse, s'exclame le lieutenant, soulagé du retour à la vie de la fille de son général.

Lia crachote et toussote. L'œil hagard, elle replie ses mains avec effort. Ses paumes sont à vif.

— Combien? finit-elle par prononcer entre deux inspirations avides.

— Vingt! répond fièrement Zaki.

— Vingt?

— Un nouveau record! T'es la meilleure, petite sœur!

La jumelle est déçue. Elle visait le record de son père.

— T'en fais une tête!

La jeune fille se relève. Ses muscles endoloris la font souffrir.

— T'as mal? demande Zaki d'une voix pleine de compassion.

— Pas partout, répond Lia en souriant.

Le jumeau aide sa sœur à épousseter son uniforme.

— Bon, ça suffit le jacassage. Garde à vous! gueule de nouveau l'officier.

CHAPITRE 2

Zaki tourne sur lui-même. Une fine couche de sueur ruisselle sur sa peau cuivrée. À ce temps-ci de l'année, la chaleur écrase tout espoir de confort. Même la nuit. Zaki roule sur le côté gauche. Cinq secondes plus tard, il roule sur le côté droit. Le drap dans lequel il s'entortille se coince sous son corps. L'air surchauffé enflamme ses poumons. Assez! D'un coup hargneux, le garçon tire sur le drap de coton empêtré entre ses genoux. Le bout de tissu résiste. Le gamin gigote. Il redouble d'efforts. La foutue couverture cède enfin. Zaki la chiffonne, puis la lance au pied du lit. Exaspéré, il tente de se rendormir.

Le doux murmure de la respiration de Lia, couchée sur le lit superposé au-dessus de lui, devrait le calmer, l'aider à s'assoupir. Au contraire, il jalouse le repos de sa frangine. *Comment fait-elle pour dormir avec cette chaleur?*

Un chacal hurle au loin dans le désert. Plus près, les grillons stridulent. Leur grésillement monte au ciel tel un feu de broussailles. Les yeux grands ouverts, Zaki compte les grains de poussière en suspension dans la lumière lunaire qui filtre par la fenêtre. Sans succès. Il bondit sur ses pieds.

La tête de l'insomniaque cogne durement contre le lit de sa sœur: «Ouille!» D'une main, il frotte le dessus de son crâne pour chasser la douleur. Il faut qu'il dorme! D'un pas vif, le jumeau se précipite au pied du lit. Il ramasse le drap, s'étend de nouveau sur le matelas, se recouvre, ferme les yeux... puis attend que les bras de Morphée viennent le bercer. Il attend... attend... Il tourne sur lui-même. Encore une fois. Une autre fois.

Le sommeil lui échappe et fuit. Et pas seulement à cause de la chaleur. Depuis un mois, l'esprit de Zaki tourne à plein régime, jour et nuit. Le Tournoi des Guerriers qui aura lieu le mois prochain l'obsède et l'angoisse. Son cerveau établit des stratégies, analyse des tactiques, projette des scénarios.

Impossible de dormir!

Il se lève, revêt son uniforme, puis passe la porte qui donne sur le jardin, dans la cour arrière. Quelques cactus et fleurs s'épanouissent parmi les agencements rocheux. Au bout de l'allée centrale pavée de pierres plates, son père a installé une aire d'entraînement. S'y trouvent une barre de tractions, une planche à abdominaux et un poteau de frappe.

Le jeune guerrier avance jusqu'à l'autel dédié au culte des ancêtres, face au nord. Les talons collés, il ramène les bras le long du corps, puis s'incline. Son cœur et son esprit retrouvent la paix que le sommeil lui refuse. L'élève recule d'un pas, fait demi-tour et adopte la position de combat. Il exécute les formes obligatoires de la Voie de l'eau avec vivacité. Il connaît les séquences par cœur pour les avoir répétées des milliers de fois depuis l'âge de cinq ans. Chaque coup claque dans l'air comme un fouet. *On se bat comme on s'entraîne*, se répète Zaki. Alors il frappe pour blesser. Son sourire s'agrandit. Son torse se bombe. La discipline accomplit des miracles, répètent les vieux sages. Avec le temps, la goutte d'eau creuse le roc. *Sois l'eau, mon ami...*

Comme on le lui a enseigné, le garçon poursuit son entraînement en s'opposant à un ennemi imaginaire. Il simule toujours des combats contre les guerriers les plus aguerris. Pour être le meilleur, il faut affronter les meilleurs! Son adversaire imaginaire préféré est Horlos le Coriace, le premier Tigre bleu assigné à la garde du roi Eutrède le Pacificateur. Pour mieux protéger le souverain, Horlos a créé la Voie de l'eau, un art martial basé sur les principes de la puissance et de l'insaisissabilité de l'eau. Réservé jadis aux guerriers Tigres bleus, cet art martial s'est répandu au cours des siècles dans tout le royaume de Hudor. Malgré la disparition des guerriers mythiques, la Voie de l'eau, dont de nombreuses variantes existent aujourd'hui, a traversé le temps.

Horlos représente le défi ultime, le guerrier sans faille. Zaki l'imagine les épaules larges, les mains puissantes, capables de broyer un crâne. À ce qu'on raconte, chacun de ses coups était mortel. Zaki utilise le Coriace pour améliorer sa défense, sachant qu'un seul coup d'un tel adversaire l'enverrait dans le monde des esprits. Sa concentration maintient l'intensité de l'effort à son maximum tout au long de l'exercice. Ses muscles ondulent au rythme des coups portés. Les maîtres lui ont appris à anticiper les attaques et à deviner les feintes. Il aiguise ses réflexes en fonction de toutes les combinaisons possibles. Il veut maîtriser toutes les tactiques afin de ne jamais être pris au dépourvu. Ses mouvements sont précis et souples. Ses coups de poing et ses coups de pied frappent l'adversaire qui bloque et contre-attaque.

— Tu te bats encore contre Horlos le Coriace dans ta tête, se moque Lia.

Zaki sursaute. Le temps lui a échappé. Le clairon régimentaire sonne le changement de garde. Les patrouilles de nuit rentrent à la caserne, relevées par celles de jour. Les premiers rayons du soleil teintent d'orangé le ciel du désert. Le village s'éveille et prend vie. La place centrale s'anime tandis que les commerçants installent leur marchandise sur les échoppes. Les paysans, escortés par des miliciens, partent travailler aux champs à l'extérieur des palissades. Les grillons et les chacals se sont tus, cédant la scène au babillage des enfants et aux éclats de voix des mères.

— Viens manger, maman nous attend, lance Lia.

— Je n'ai pas fait mes étirements.

— Comme tu veux! Mais ta part de figues est à moi!

Lia se précipite dans la maison. En passant le cadre de porte, la jeune fille regarde par-dessus son épaule. Zaki effectue le grand écart. Il se penche vers l'avant et colle son torse au sol, les bras bien étirés devant lui.

— Tant pis pour toi!

Son frère ne réagit pas.

— Attention! crie Lia. Derrière toi!

Zaki se redresse. L'adrénaline tend ses muscles. Le jeune guerrier serre les poings et pivote sur lui-même.

— Horlos va te botter le derrière!
— Très drôle, ironise Zaki.
— Ha! Ha! T'aurais dû voir ta tête!

Lia tourne les talons, puis disparaît dans la maison en rigolant. Une fois assise à la table, sa mère lui sert un bol de gruau:

— Plutôt que de l'importuner, tu devrais t'entraîner avec ton frère.
— Papa revient quand?
— Ce soir.
— Je voulais l'accompagner.
— Chérie, les patrouilles de reconnaissance sont dangereuses. Les novices...
— Je sais, je sais... Mais je suis prête!

Lia tend la main et vole les figues dans l'assiette de son frère.

— Eille! Ce sont mes figues, s'offusque Zaki en s'assoyant.
— T'avais juste à arriver à temps.
— Et toi? Tu t'es levée trop tard et tu n'as même pas fait tes étirements!

— Pas grave, je suis plus souple que toi.

— Lia, redonne les figues à ton frère, ordonne Azara, leur mère.

La jeune fille les enfourne dans sa bouche.

— Maman!

— Lia!

— Quoi? répond la petite peste, la bouche pleine. Je lui avais dit de venir tout de suite...

— Va dans ta chambre!

— Mais? Je vais être en retard pour les exercices matinaux. Le lieutenant Bigleux va encore me sermonner...

— Tout de suite!

Lia se lève. En passant derrière son frère, elle lui donne une tape derrière la tête, puis se sauve à la course jusque dans sa chambre.

— Tu t'es levé très tôt... Tu as mal dormi? s'inquiète Azara en notant la présence de cernes sous les yeux de son fils.

— Bof... Papa revient quand?

— Ce soir.

— Hum...

— C'est le tournoi qui t'empêche de dormir?

Azara passe la main dans les cheveux touffus de son fils. Son petit garçon, déterminé, acharné. Elle l'observe terminer son repas à la hâte pour ne pas être en retard.

— Lia, tu peux sortir, annonce Azara.
— Je suis en punition...
— Allez, ne sois pas en retard.

Lia réapparaît aussitôt, tout sourire. Elle colle un bisou sur la joue de sa mère, puis attrape son frère par la main.

— Amusez-vous bien! lance Azara juste au moment où les jumeaux passent la porte.

CHAPITRE 3

Cité royale de Bravor

Un large sourire rayonne sur le visage de la princesse Céria. Une étincelle allume ses grands yeux verts. Fébrile, elle ferme le livre posé sur la table, l'empoigne et le colle contre sa poitrine. Quelques secondes plus tard, elle traverse la salle de réception à la course et s'engage dans un long corridor du palais. Ses souliers claquent contre la pierre sous les regards sévères des nobles suspendus en peinture dans les cadres dorés. Zut! La jeune femme s'arrête net. Elle a oublié de refermer la porte... Elle fait demi-tour. Sur son passage, des servants s'inclinent, l'air surpris.

Arrivée dans la salle de réception, elle regarde tout autour pour s'assurer d'être seule, puis fonce vers la porte dérobée derrière une longue draperie rouge qui mène à...

— Père? Que... que faites-vous ici? balbutie Céria.

— C'est à moi de te poser cette question.

— Regardez ce que j'ai trouvé, s'enthousiasme la princesse qui dépose le livre sur la table au milieu de la pièce. C'est une carte des Territoires du Nord...

— Tu sais que l'accès à la salle de guerre t'est interdit.

— Ne suis-je pas l'héritière du trône de Hudor? se rebiffe la princesse. J'ai le droit d'être mise au fait des secrets de l'État.

— Encore faudrait-il que tu saches préserver le secret de cette pièce. Quand je suis arrivé, la porte était grande ouverte.

Le roi passe un bras autour des épaules de sa fille, qui arbore une moue déçue. Il ne réussit jamais à demeurer sévère bien longtemps, car il préfère la voir joyeuse.

— D'accord, montre-moi cette découverte qui t'emballe tant.

Céria retrouve le sourire. Elle plonge le nez dans le livre.

— Cette carte nous indique un passage vers les Territoires du Nord!

— Ma chère fille, tu vois, ici ce sont les monts du massif de l'Éternel, pointe le roi Adelphe.

— Je sais!

— La cité de Bravor et le palais se trouvent de ce côté.

— Et le passage vers le Nord est juste là !

— Le passage en question n'est nul autre que le fleuve de Sable, au sud, ajoute le roi en retournant la carte sur elle-même.

— Ah... Je croyais...

— C'est une carte très ancienne, elle est difficile à déchiffrer.

La princesse se renfrogne, honteuse de sa méprise. Mais elle n'abandonnera pas ses recherches. Dans tous les documents entreposés dans la salle de guerre, impossible qu'il ne s'y trouve pas de récits de voyages ou de gravures indiquant le moyen d'atteindre ces territoires.

— Pourquoi n'envoyez-vous pas une expédition vers le Nord ? Comme il serait agréable de se baigner dans un lac ou dans une rivière... De se promener dans une forêt !

— Ce n'est pas si simple, soupire le roi.

Céria n'apprécie pas le ton mou de son père et repousse son étreinte.

— Vous manquez de volonté ! Ces territoires existent et ils sont riches. Ordonnez à vos troupes de monter vers le Nord et de conquérir ces contrées luxuriantes !

— Tous les chefs de la famille d'Enguerrand avant moi ont entrepris l'aventure.

— Vous voyez !

— J'ai aussi, dans mon jeune âge, dirigé une telle excursion.

— Il faut tenter le coup à nouveau. Seuls les pleutres abandonnent !

— Le sage sait qu'aux ambitions démesurées se fracassent les royaumes.

— Le fameux argument de la sagesse..., ronchonne Céria.

— Tu comprendras un jour.

Je comprendrai un jour... Jamais mon père n'unifiera le royaume. Il préfère la paix à la gloire de reconquérir ce qui appartenait jadis à sa famille, songe la princesse.

— Tu as raison, reprend le roi.

— Vous allez envoyer un bataillon vers le Nord ?

— Non. Je parle de ton éducation. Tu dois t'initier aux affaires de l'État. Désormais, tu seras invitée à chaque séance du conseil.

Quel ennui !

— Tu ne sembles pas heureuse de ce privilège...

— Un privilège ou un devoir?

— Jeune femme, il n'existe point de privilège sans devoir qui le guide. Le devoir prévient les excès de liberté auxquels les privilèges donnent accès.

Toujours des leçons...

— Je pourrai consulter TOUS les documents contenus dans la salle de guerre?

— Je t'y encourage fortement.

Céria échappe un petit rire victorieux. Elle enserre son père à la taille et lui dépose un baiser sur la joue.

Au bout du corridor apparaît un laquais qui se précipite à la rencontre du roi d'un pas nerveux. Le souffle court, il éponge la sueur sur son front, puis s'incline.

— Messire, nous vous cherchions. Votre invité vient d'arriver.

Le visage du souverain s'assombrit. Ses traits s'affaissent.

— Père, qu'y a-t-il? Vous vous sentez bien?

— Dites à Morfydd que j'arrive, répond le roi.

— Morfydd le Brutal est ici?

CHAPITRE 4

Angle-sur-Lac

La classe sur l'art de la guerre cogne sur le crâne comme une massue de dix kilos. Les novices, assis sur des petits tapis carrés, luttent pour garder les paupières ouvertes. L'effort de concentration requis pour assimiler la matière enseignée par Maître Tacim, dont la voix cassée par l'âge est à peine audible, surpasse en intensité tout exercice physique. Même la torture semble plus douce que le supplice imposé par le vieux sage à la peau d'ébène. Si, par malheur, une mouche se glissait dans la pièce, le simple battement de ses ailes éclipserait le murmure du maître.

Maître Tacim poursuit son enseignement sur le même ton monocorde. Le temps stagne entre chaque mot. Entre chaque syllabe. Un infini sépare le début de la fin d'une phrase. Un voile recouvre bientôt les yeux éteints des élèves. Leur cerveau se noie dans un épais brouillard.

Le vieil homme cite les paroles de Sun Tzu:

> « Connais ton ennemi et connais-toi toi-même. Si tu ignores ton ennemi et que tu te connais toi-même, tes chances de perdre et de gagner seront égales. Si tu ignores à la fois ton ennemi et toi-même, tu ne compteras tes combats que par tes défaites. »

Tous somnolent, sauf Zaki.

Le dos droit, le fils du général maintient toute son attention. La sagesse des anciens fera de lui un guerrier d'élite. Pour être un combattant et un meneur d'hommes d'exception, la connaissance de la stratégie est aussi vitale que la maîtrise des arts martiaux. Le corps et l'esprit. L'esprit et le corps. Qui ne font qu'un. Le combat engage l'être entier, et non seulement ses membres. Un coup de poing n'atteint la cible que s'il s'insère dans une stratégie et que cette stratégie émane d'une volonté réfléchie, se remémore Zaki.

Les paroles du maître rebondissent sans bruit sur les tympans amorphes des novices. Zaki jette un coup d'œil en direction de sa sœur. Elle dort, la bouche ouverte. Maître Tacim termine son cours. Sa dernière phrase se volatilise dans l'air comme une vapeur d'eau: «Un ennemi surpris est à demi vaincu.» Il tourne le dos et quitte la pièce. Ses pas se posent sur le plancher comme des points de suspension.

Zaki demeure immobile. Rien ne bouge. Le doux murmure du maître a laissé place aux ronflements discrets des cadets. *La leçon est terminée? Pourquoi Maître Tacim est-il sorti?* À l'extérieur, des cliquetis furtifs attirent l'attention de Zaki. Le silence avive ses sens. Derrière les murs, il perçoit des présences. Ses camarades roupillent toujours. Zaki crispe les mâchoires. Son rythme cardiaque s'accélère. Son imagination lui joue-t-elle des tours? Des pas feutrés se rapprochent.

Soudain, un pied enfonce la porte, qui claque contre le mur! BANG! Une dizaine de détrousseurs cagoulés hurlent des cris de guerre. Un tintamarre terrifiant! Les novices ouvrent les yeux. Trop tard! Le cauchemar s'abat sur eux à coups de poing et à coups de pied. En quelques secondes, les bandits terrassent et ligotent tous les élèves.

Sauf Zaki.

Le garçon roule sur le côté, se relève, puis se place en position de combat. Il fait dos au mur afin d'éviter une attaque par-derrière. Un brigand brandit une dague et fonce sur lui. Le fils du général esquive sur la gauche et, d'un geste vif, attrape le poignet de son assaillant. Il lève la jambe et abaisse le talon sur le dessus du crâne du cagoulé. Son adversaire s'écroule au sol. Trois pillards avancent vers Zaki, qui serre les poings. Le combat s'engage. Le premier décoche une rafale de coups de poing que redirige le jumeau vers l'extérieur grâce à une série de blocs efficaces. Le détrousseur s'accroupit et fauche les jambes de l'élève. Les deux autres sautent sur lui et le matraquent de coups de pied. Zaki appuie les mains contre le mur pour se donner un élan. Il arque le dos et assène une savate en pleine poitrine aux deux assaillants. Les bandits tombent à la renverse, le souffle coupé. Le garçon se redresse, puis cueille le troisième voleur avec un *uppercut* sous la mâchoire suivi d'un puissant direct sur le nez. Un craquement sinistre fige l'élan des deux gaillards qui s'apprêtaient à fondre à nouveau sur lui.

Lia tente de se libérer de ses liens. La jeune fille bondit sur ses pieds, mais un violent coup de bâton la rabat au sol aussi raide. La douleur crispe les traits de la jumelle, qui encaisse une volée de coups de pied.

— Lia! s'exclame son frère.

Zaki prend un élan, saute dans les airs, effectue un tourniquet à trois cent soixante degrés et atteint le salopard qui a frappé sa sœur d'un coup de pied foudroyant à la tempe. Aussitôt, un balaise sorti de son angle mort l'empoigne par la gorge et le soulève. L'air se bloque dans sa trachée, son visage bleuit. Il gigote, les pieds ballants, s'efforçant d'atteindre la brute qui l'étouffe. Rien à faire. À court d'oxygène, ses muscles ne répondent plus. Dans une ultime tentative, il mord la main du colosse. Le géant rugit, puis le projette contre le mur. Sa tête frappe une poutre. Il perd connaissance.

À son réveil, Zaki se retrouve ligoté avec ses camarades.

« Un ennemi surpris est à demi vaincu. » La voix douce et calme de Maître Tacim rompt le lourd silence. Les têtes des prisonniers se lèvent. Le vieil homme, mains derrière le dos, les observe. Leur visage incrédule s'étire sans fin. *Que se passe-t-il?* s'inquiète Zaki. Les détrousseurs retirent leurs cagoules.

« Merde! » s'exclame Lia.

Une troupe de miliciens hilares se bidonnent derrière Maître Tacim. Leurs éclats de rire font encore plus mal que leurs coups. Lia croise le regard de Berthol, du moins l'un de ses yeux. Le nez du bigleux ressemble à une patate.

« Merde ! » s'exclame de nouveau la fille du général en faisant un clin d'œil à son frère.

— Cadette, vous trouvez ça drôle ? Jappe Berthol.
— OUI, LIEUTENANT !
— Moi, ce que je trouve drôle, c'est que vous êtes tous morts, bande de p'tits connards ! Le tournoi arrive à grands pas et vous me semblez tout juste bons pour jouer à la marelle !

Tu peux bien parler, je te bats quand tu veux à un contre un, songe Zaki.

Maître Tacim impose le silence de la main. À peine a-t-il ouvert les doigts que tous se taisent. Même à son âge, il serait capable de rompre les os de n'importe quel milicien. Seul pourrait rivaliser avec lui le général Lothar. Tous le savent. Un bruit de déglutition collectif ponctue l'abaissement respectueux des têtes. Les apprentis ravalent leur orgueil bafoué.

Maître Tacim se déplace de manière à pouvoir s'adresser à la fois aux novices et aux miliciens.

— Plus la surprise sera grande, plus son effet sera décisif sur le résultat de la bataille. Les novices endormis n'avaient aucune chance. Recherchez toujours l'élément de surprise. Mais sachez que même l'avantage qu'il vous procure ne garantit pas la victoire. Un ennemi surpris est à demi vaincu. L'opposition vigoureuse de Zaki nous rappelle qu'au-delà de la surprise, il faut combattre, et que rien n'est assuré d'avance. Ce sera tout pour aujourd'hui.

Les miliciens détachent les novices qui se frottent les poignets. Aussitôt libres, ils quittent la salle, le front bas, suivis de leurs aînés.

Zaki revient sur ses pas. Maître Tacim est assis face au nord et médite, les yeux clos. Zaki s'approche. Sans ouvrir les yeux, sans que l'élève ait prononcé un mot, Maître Tacim devine ce que le jeune a en tête. Zaki s'assoit.

— Tu aurais pu les vaincre tous.
— Maître... ils étaient dix...
— Qu'as-tu appris aujourd'hui ?

Zaki réfléchit. Spontanément, il aurait voulu répondre qu'un ennemi surpris est à moitié vaincu. Mais ce serait trop simple.

— Le surnombre est une mauvaise excuse, non pas la cause de ta défaite, affirme le maître.
— Ce sont des combattants plus expérimentés...

— Une autre excuse. Revois le cours des événements dans ta tête.

Zaki ferme les paupières. *Le maître murmure sa dernière phrase avant de quitter la pièce. Des bruits de pas au-dehors... la porte claque. Les détrousseurs foncent sur eux. Ils portent une cagoule... des chemises dépareillées... mais des pantalons et des bottes uniformes. L'uniforme des miliciens d'Angle-sur-Lac!* Ce détail remonte à la surface de sa mémoire.

— Au fond, je savais qui étaient les cagoulés dès le départ.

— Tu connaissais ton ennemi. Tu savais comment il combattait. Tu aurais pu les vaincre.

— Oui... J'aurais pu... Mais j'ai commis une erreur...

— Quelle erreur?

— J'ai quitté ma position protégée, le dos au mur.

— Il s'agit de la conséquence de ton erreur.

Zaki se gratte la tête. Il bafouille:

— C'est... une erreur... tactique. En quittant ma position, je me suis rendu vulnérable à une attaque par-derrière...

— Pourquoi as-tu quitté ta position?

— J'ai vu Lia se faire frapper, j'ai aussitôt...
— Qu'as-tu appris aujourd'hui?

Zaki hésite.

— De ne pas me laisser emporter par mes émotions.

Maître Tacim, les yeux toujours clos, sourit.

— Si la situation se représentait, comment réagirais-tu?
— ...
— Pourrais-tu contenir ta volonté de sauver Lia?
— Je... ne...
— Tu connaissais ton ennemi, mais tu ne te connaissais pas toi-même.

Maître Tacim ouvre les yeux.

— Va, maintenant! Et souviens-toi que tout art martial repose d'abord sur la connaissance de soi.

CHAPITRE 5

Zaki enfile son pyjama et s'apprête à se coucher.

— On étudie ensemble? demande Lia à son frère.

— Il est vingt et une heures...

— Bravo! Tu sais lire l'heure à la chandelle graduée, mais ce n'est pas à l'examen, se moque la jumelle.

— Tu veux dire que tu n'as pas révisé? L'examen est demain...

Lia hausse les épaules.

— Si tu échoues, tu ne pourras pas participer au tournoi.

— Je n'échouerai pas, puisque tu vas m'aider à étudier, répond la jumelle, l'air narquois.

Zaki sort son manuel d'histoire et géographie en rouspétant et s'installe à la table de travail. Lia grimpe dans son lit. Elle s'étend sur le dos.

— Tu crois que c'est vrai, ces histoires de forêts, de lacs et de rivières dans les Territoires du Nord?

— On étudie ou pas?

— T'énerve pas!

Zaki pousse un soupir d'exaspération.

— Un jour, j'irai, reprend Lia.

— Peut-être, mais entre-temps, tu ne sais même pas où sont situés les Territoires du Nord.

— Ils sont au nord!

— Au nord de quelle région?

— Euh... Des savanes de l'Aridonie!

— Justement, tu ne pourras pas y aller, car personne n'a jamais réussi à franchir la muraille qui sépare les savanes de l'Aridonie des Territoires du Nord.

— Je serai la première.

— Continue.

— Quoi?

— Décris les régions du royaume.

— Euh...

— Ce sera à l'examen.

— Ouais... Vas-y, toi. Je t'écoute et je prends des notes.

— Tu me casses toujours les oreilles avec les voyages impossibles que tu veux entreprendre, alors c'est moi qui t'écoute.

— D'accord, ne te fâche pas.

Son frère a raison de la défier. Lia connaît bien mieux le royaume qu'elle ne le croit. Elle se lance :

— Le royaume de Hudor est enclavé entre le massif de l'Éternel – une chaîne de montagnes aux pics abrupts dont les sommets percent les nuages – à l'ouest et la mer du Lointain à l'est. Au sud coulait jadis le fleuve Vital, un cours d'eau impétueux aujourd'hui asséché, qui se nomme désormais le fleuve de Sable. De l'autre côté de la crevasse profonde creusée par l'eau se trouvent les Terres brûlées, un paysage de cendres où personne ne vit. Du moins, personne n'a jamais osé s'y aventurer et jamais un voyageur n'en est provenu. Si l'on remonte le royaume vers le nord à partir du fleuve de Sable, on pénètre d'abord dans le Désert du Sud, puis dans les savanes de l'Aridonie pour ensuite atteindre les Territoires du Nord. La mer du Lointain trace un arc à cent quatre-vingts degrés du nord-ouest au sud-est du royaume de Hudor. À marée basse, l'onde s'éloigne du rivage de plusieurs dizaines de kilomètres. À marée haute, elle s'approche à quelques kilomètres du littoral. Au nord-ouest, la baie des Pieds-Secs rejoint la mer du Lointain.

— Tu vois, tu connais ta géographie !

— J'ai triché.

— Quoi ?

— Je viens de te lire l'introduction du manuel d'histoire et de géographie, s'esclaffe Lia en brandissant le livre, pendue sur le bord du lit.

— Débrouille-toi toute seule, ronchonne Zaki.

— Désolée, je ne me moquerai plus. Promis.

Le garçon garde le silence. Après quelques minutes, sa sœur le rejoint à la table de travail. Il l'ignore et va se coucher.

— Parle-moi du règne des Enguerrand, reprend Lia. Je ne m'y retrouve plus dans les noms de rois et de reines.

T'avais qu'à écouter en classe..., songe Zaki.

Zaki s'étend sur le matelas et tourne le dos à sa sœur, qui se met à feuilleter le manuel avec nonchalance en poussant des soupirs résignés. *J'y arriverai jamais,* pense-t-elle.

Un amalgame de sentiments confus empreint d'amour, de solidarité et de bienveillance empêche Zaki de laisser sa sœur en plan.

— Commence par Eutrède le Pacificateur, dit-il sans se retourner.

— C'est le premier roi de la famille d'Enguerrand, n'est-ce pas ?

— Et le dernier roi du territoire unifié de Hudor. Avant le Grand Réchauffement, la famille d'Enguerrand régnait sur tout le royaume.

— Mais au début de l'ère de Sable, ce dernier a éclaté en milliers de seigneuries, de villages et de cités rivales. Les clans se sont mis à s'entretuer sur le champ de bataille pour la possession de terres cultivables et de puits d'eau potable.

— Exact, répond Zaki qui se redresse dans le lit et fait face à sa sœur. La famille d'Enguerrand a survécu aux multiples tentatives d'usurpation et a réussi à maintenir son autorité pendant près de mille ans sur la cité de Port-au-Ciel.

— Jusqu'à l'invasion de Morfydd le Brutal, le chef sanguinaire d'une bande de détrousseurs mi-hommes, mi-mandrills.

— En quelle année?

— Euh... En l'an 990, répond Lia en mettant le doigt sur la date à la page cent trente-deux du manuel. Et... sur les ruines de la cité royale, le Brutal a érigé la Forteresse rouge.

— Le roi Adelphe d'Enguerrand, l'héritier direct du trône de Hudor, s'est alors réfugié sur le plateau du Tosmor avec sa cour royale, sa femme et sa fille à naître, ainsi qu'avec ce qui restait de son armée. Il a érigé un nouveau palais royal plus modeste dans la cité de Bravor et a fait une alliance avec les seigneurs des six bourgs les plus importants de la région afin de repousser une nouvelle invasion des troupes de Morfydd.

— J'ai hâte de découvrir Bravor lors du tournoi! s'exclame la jumelle. Il paraît qu'il y a des bains publics. Tu te rends compte?

Zaki aussi a entendu les voyageurs parler des fameux bains publics de Bravor, les seuls dans tout le royaume de Hudor. Des salles immenses. En marbre. Des bains d'eau chaude, d'eau froide, d'eau glacée, d'eau salée. Des fontaines pour se doucher. Un paradis!

— Ouais, si tu réussis ton examen.

— Je vais étudier toute la nuit s'il le faut. Avec toi! ajoute Lia, qui se lève et donne un léger coup de poing sur l'épaule de son frère. On continue?

La voix remplie de fierté, les deux jumeaux révisent ensuite l'histoire récente d'Angle-sur-Lac, leur village, et les faits d'armes de leur père. Avant leur naissance, Lothar souhaitait rompre par la diplomatie le cycle infernal de violence dans lequel était plongé le Désert du Sud. Il a tout d'abord fédéré les localités voisines de Val-d'Ombre et de Bourg-des-Solstices en leur donnant accès aux puits d'eau potable de son propre patelin. Cette coopération s'accompagnait d'une entente militaire: un pacte de non-agression et de défense mutuelle. Au bout de trois ans, sept autres bourgs se sont joints à l'Alliance du Désert du Sud, si bien qu'une paix durable s'est installée entre les anciens rivaux. Seules les hordes nomades les plus téméraires et les pillards ont continué de mettre la paix à l'épreuve dans la région.

— Tu crois qu'un jour le royaume sera réunifié ? demande Lia.

— Qui sait ?

Une portion de l'examen porte sur la religion. Zaki et Lia passent en revue les différentes religions animistes qui sont pratiquées dans le royaume. Malgré les variantes appréciables qui existent d'une région à l'autre, le chamane demeure le personnage central de la civilisation hudorienne en ce qu'il gère les rites sociaux tels que le passage à l'âge adulte, les mariages et les sacrifices. Il jouit de pouvoirs divinatoires et communique avec les esprits et le monde des morts. Mais peu importe les nuances régionales, l'eau constitue la divinité suprême, incarnée jadis par Badra, la déesse des eaux. Les Hudoriens croient en l'immortalité de l'âme et en la possession des objets et des éléments par les esprits. Le monde est peuplé d'esprits bons et méchants.

Depuis le Grand Réchauffement, le culte du Feu rivalise avec le culte de l'Eau et cherche à s'imposer. Organisée en un clergé structuré, cette religion monothéiste est dirigée par l'Ardent, le représentant sur terre du dieu Ignos. Selon les Écritures du feu, Ignos est la source de la vie, mais aussi celle de la destruction. Les fidèles d'Ignos croient en la vie éternelle dans un monde immuable libéré des souffrances et des imperfections du monde matériel. Toute la liturgie et l'ensemble des règles, commandements et préceptes de vie érigés dans les Écritures du feu sont fondés sur un principe absolu: « Ne t'éteins jamais. »

Vers six heures du matin, Lia se réveille, la tête appuyée contre la table de travail. Un rayon de soleil chatouillait ses paupières depuis une trentaine de minutes. Son frère roupille à ses côtés dans une position inconfortable.

— Tu crois qu'il y aura des questions sur les Tigres bleus ? Zaki, réveille-toi !

— Hein ?

— Les gardes du roi Eutrède, les protecteurs du culte de l'eau...

— Je sais qui sont les Tigres bleus, prononce mollement le jumeau en bâillant.

— Alors ?

— Ne t'inquiète pas, tu es prête pour l'examen.

CHAPITRE 6

Cité royale de Bravor

— Père, comment pouvez-vous accueillir cette ignoble brute en votre palais ? Cet être immonde ! s'insurge la princesse Céria en pénétrant dans l'antichambre de la salle du trône.

Le roi Adelphe d'Enguerrand lève le menton et crispe les lèvres.

— Laissez-nous seuls, ordonne le souverain aux conseillers qui l'attendaient.

— Je lui cracherai au visage ! Voilà ce que je ferai ! Voilà ce que mérite ce monstre ! le fustige la jeune femme.

— Garde-toi bien de déshonorer mon nom.

— Déshonorer votre nom ? Vous le faites mieux que je ne pourrai jamais...

— Silence !

Céria sait qu'elle a dépassé la limite. D'une manière, elle regrette son impertinence, car elle aime son père et ne souhaite en rien lui manquer de respect. Toutefois, la princesse ne peut accepter la visite de l'ennemi juré de sa famille sous prétexte de diplomatie.

— Pardonnez-moi, père. Je me suis laissée emporter. C'est que...

— Ça suffit! coupe le roi.

Le roi évite le regard de sa fille, qui n'est pas habituée à le voir aussi abrupt et autoritaire.

Il y a deux mois, le souverain a entamé des négociations secrètes avec un émissaire de Morfydd. Selon les rapports de ses espions, l'armée du Brutal aurait presque doublé dans la dernière année. Sachant que, tôt ou tard, son ennemi tentera d'envahir le Tosmor, le vieux monarque préfère en faire son allié. Une alliance lui permettra, espère-t-il, de maintenir la paix.

Or, le devoir n'a jamais pesé autant sur les épaules du roi Adelphe. Il maudit le dilemme dans lequel il est plongé: négocier une paix assurément désavantageuse avec Morfydd ou combattre et risquer de tout perdre... Le choix du moindre mal engendre néanmoins un mal.

Le roi traverse la salle du trône et prend position. La princesse, debout à ses côtés, serre les poings. Le palais royal de la cité de Bravor n'a du palais que le nom; bâtisse de pierre imposante à l'architecture simple, avec trois tours, un mur protecteur de deux mètres de haut et une cour intérieure, cet ancien fort régional constitue une bien modeste demeure pour l'héritier des rois de Hudor.

Un clairon retentit, puis on annonce l'arrivée de l'invité honni:

— Votre Majesté, le seigneur Morfydd.

Les portes s'ouvrent sur un géant de deux mètres vingt, une créature dotée d'une musculature puissante. Les gardes formant la haie d'honneur étouffent un murmure d'étonnement empreint de frayeur. Le visage rude du colosse terrifie l'assemblée. Menton carré couvert de poils rouges et drus. Nez aplati. Sourcils en broussaille et crinière rouge sang. Le cœur de Céria hoquette. Vêtu d'un justaucorps carmin à boutons dorés sous un frac noir, Morfydd s'avance vers le roi et la princesse d'un pas lourd. Sa respiration profonde fait frémir la jeune femme, qui baisse les yeux, intimidée.

Le protocole exige des invités qu'ils s'agenouillent devant le roi. Morfydd reste debout. Sa voix grave ébranle les murs du palais:

— Roi Adelphe d'Enguerrand, mes hommages!

Les yeux de la bête se posent sur la princesse qui frémit. Les iris orangés de Morfydd l'effraient. Un feu ardent enflamme son regard mauvais. Céria a entendu toutes sortes d'histoires à propos de cet horrible barbare qui a causé la chute de sa famille. Plusieurs lui ont dépeint le personnage, mais aucun portrait ne l'a préparée au choc de sa présence menaçante en chair et en os. À force de serrer les poings, les doigts de Céria sont blancs. Toute son enfance a été hantée par les récits sanglants du terrible massacre de 990. Tous ces villageois éventrés à coups d'épée, toutes ces femmes et ces enfants séparés et envoyés en esclavage dans les mines de la Veuve. Les soldats empalés sur des pieux à l'entrée de la ville. Céria a grandi en maudissant Morfydd et ses guerriers Mandrills rouges. Toute sa vie, elle s'est juré d'enfoncer une dague dans la gorge de ce monstre dès la première occasion. Or, la voilà pétrifiée devant la brute. Une peur viscérale enraie son corps et son esprit, une peur incontrôlable.

— Morfydd, soyez le bienvenu, prononce le roi d'une voix étranglée.

— Bien des années ont passé. Vous avez vieilli, mon ami.

Face à cette force de la nature, Céria prend conscience de l'âge avancé de son père et de sa fragilité. L'intelligence, la ruse et la sagesse légendaires du vieil homme lui apparaissent de bien faibles armes contre la puissance de ce sinistre adversaire.

Soudain, des cris d'effroi percent les murs du palais. À l'extérieur, les serviteurs et les gardes paniquent.

— Que se passe-t-il ? demande le roi.

Morfydd oserait-il l'attaquer sous le couvert d'une mission diplomatique ? Le roi serait-il tombé dans un piège aussi grossier ? Impossible ! Le plateau du Tosmor offre une position stratégique, avantageuse de par son élévation naturelle. Les sentinelles auraient repéré tout mouvement de troupes à des kilomètres de la cité et auraient déclenché l'alarme.

Les cris se transforment en hurlements. Céria fait quelques pas vers l'arrière, le roi Adelphe se dresse d'un bond. Les gardes brandissent leurs hallebardes en direction de Morfydd, qui s'esclaffe. Son rire éclate comme un coup de tonnerre. Au même moment, les portes de la salle volent en éclats.

— Morfydd, sale traître! s'exclame le vieil homme.

Les yeux du roi s'arrondissent, son front se plisse de stupeur. Céria empoigne avec maladresse la dague attachée à sa cuisse sous sa robe et fonce vers le géant. Une vision d'horreur freine l'élan de courage de la jolie princesse: un énorme oiseau noir, tout droit sorti de l'enfer, pénètre dans la salle. L'affreuse bête aux allures de gorgone déploie les ailes, allonge le cou, puis déchire l'air d'un cri furieux.

— N'ayez crainte, ricane le Brutal, ce joli rokh est mon animal de compagnie.

— Mais les rokhs n'ont jamais existé. Ce ne sont que des êtres mythiques...

— Doutez-vous de vos propres yeux, Adelphe? Ne lisez-vous pas les Écritures du feu? Le livre saint du culte d'Ignos nous enseigne que les rokhs sont nés de la foudre et...

— Nous ne croyons pas à Ignos!

Morfydd sourit. Puis il claque des doigts. Le hideux rapace aux yeux globuleux jette un cri lugubre. Comme une flèche décochée par Ignos lui-même, la bête s'élance tête première contre le premier garde à sa portée. Son bec se fiche dans la poitrine du soldat. Un craquement d'os épouvantable retentit. La créature dresse le cou et projette le corps inerte contre le plafond. Le militaire tombe et s'écrase sur le plancher comme un lourd sac de sable. L'horrible oiseau lui broie alors le crâne de son bec acéré. Le sang et la cervelle giclent.

Céria hurle. Tout son corps brûle d'un sentiment d'horreur insoutenable. Morfydd, un rictus hilare accroché au coin de la bouche, ajoute:

— Les Écritures précisent que les oiseaux de la foudre se repaissent de chair humaine.

— Nous devions négocier un traité d'alliance, que signifie cette indécente démonstration de violence?

— Une alliance? se rebiffe Céria. Mais père, comment...

— Princesse Céria, le temps presse et le roi se fait vieux. S'il souhaite marquer l'histoire et redonner au nom d'Enguerrand sa gloire passée, il doit se rallier à moi.

— Père, dites-moi que c'est faux! Que vous n'envisagez pas une alliance avec cette brute!

Le souverain redresse les épaules pour se donner plus de prestance. Il ne se laissera pas intimider. Dans son palais, il demeure en position de force. D'ailleurs, Morfydd n'est accompagné que d'une poignée de gardes restés à l'extérieur de l'enceinte de la ville, comme convenu.

— Un oiseau seul, aussi terrible puisse-t-il être, ne saurait vaincre mon armée. Discutons.

— Hum...

Morfydd claque de nouveau les doigts. Le rokh émet un sifflement strident. Rien ne bouge. Un long silence. Le roi esquisse un sourire ; ses gardes reprennent confiance et bombent le torse. Puis... Céria perçoit une rumeur au loin. La rumeur s'amplifie, comme un roulement de tambour. Les gardes à l'extérieur s'affolent. Des milliers de battements d'ailes fouettent l'air. Bientôt, un escadron d'une centaine de rokhs sur le dos desquels chevauchent des guerriers Mandrills rouges atterrit avec fracas dans la cour du palais. Les soldats s'enfuient, sauf quelques braves qui se regroupent à l'intérieur autour du roi Adelphe et de la princesse.

Les Mandrills rouges descendent de leurs montures ailées. Mi-hommes, mi-singes, leur visage est ceint de cheveux laineux brun roux. Leurs yeux, encastrés sous d'épaisses arcades sourcilières, ronds et orange, lancent des éclairs de haine. Leur nez est rouge, long et plat. Des sillons bleus traversent leurs joues. Au signal de leur chef, ils dégainent leur sabre.

— Quels sont vos termes ? abdique le roi.

— Père ? s'écrie Céria, ne faites pas ça !

— Voici ma proposition, reprend Morfydd. J'assure la protection de toutes les cités, tous les villages et tous les bourgs et hameaux du plateau du Tosmor... contre la main de votre fille.

CHAPITRE 7

Angle-sur-Lac

L'école terminée, Zaki et Lia discutent sur le chemin du retour.

— Tu n'ouvres pas la lettre ?
— Je ne sais pas...
— Allez, ouvre-la ! Tu ne veux pas savoir ?
— J'en meurs d'envie...
— Qu'attends-tu, alors ?
— C'est facile pour toi... Tu savais que tu allais réussir.

Zaki arrache la missive contenant le résultat de l'examen des mains de sa sœur et se sauve dans une petite ruelle.

— Hé ! Redonne-moi ça !

Le garçon court à toute vitesse. La ruelle se termine en cul-de-sac.

— Je te tiens ! s'écrie Lia.

Le jumeau s'élance. Il appuie un pied contre la paroi du mur de gauche, se propulse vers le haut, pose l'autre pied sur le mur de droite, puis agrippe le rebord des deux mains. Il se hisse ensuite sur le dessus du muret, puis s'assoit à califourchon.

— C'est ça que tu veux? nargue Zaki.

— Donne-la-moi!

Zaki rompt le sceau de cire, déroule le rouleau et lit la lettre en silence.

— Tu n'as pas le droit! s'insurge Lia.

Les yeux de son frère parcourent les lignes avec avidité. Au milieu du premier paragraphe, sa moue se crispe. Ses traits s'affaissent.

— J'ai échoué? C'est ça?

— Je ne sais pas quoi dire..., balbutie Zaki. FÉLICITATIONS! TU PARTICIPES AU TOURNOI!

— Ahhhh! Comment as-tu pu me faire ça?

Zaki saute en bas du mur et enlace sa sœur.

— Nous participons au tournoi! Nous participons au tournoi! s'écrient les jumeaux à l'unisson, portés par une fierté et une joie formidables.

Les deux adolescents reprennent le chemin de la maison, un sourire démesuré fendu sur le visage.

Au coin de la boulangerie, Lia s'immobilise.

— Regarde!
— Quoi?
— Chut!
— Allez, il faut rentrer.

Lia disparaît derrière une charrette et fait signe à son frère de s'accroupir à son tour. Devant eux, à environ cent cinquante mètres, se dresse de travers la bicoque branlante d'Ostarak, le chamane. À l'extérieur, le sorcier a allumé un feu et accomplit un rite incantatoire devant une petite foule. De sa voix rauque, il invoque l'Esprit du désert.

— Viens, je te dis, murmure Zaki.
— Attends...

Pour la cérémonie, Ostarak porte un masque rouge en terre cuite avec des cornes et des cheveux en crin de cheval. Deux fentes pour les yeux lui permettent de voir et de se déplacer. Autour de la bouche sont dessinées des dents pointues. Une vraie gueule de démon. Son corps est peint en blanc et il porte un pagne en peau de lapin ornée de plumes de corneille. Ses mots étranges, prononcés avec des intonations inconnues, forment une litanie lancinante. Le chamane accompagne ses paroles de gestes saccadés qui créent une danse désarticulée et effrayante en rupture avec le rythme lent de son chant.

— Je ne comprends rien ! Qu'est-ce qu'il fait ? se plaint Zaki.

— À voir comment il danse les jambes écartées, le cordon du pagne qui passe entre ses fesses est trop serré, se moque Lia.

Zaki éclate de rire. Sa sœur lui plaque aussitôt la main sur la bouche : « Chut ! Je vais aller voir. » Le garçon fait signe à sa jumelle de revenir. Que mijote-t-elle encore ? « Allez, reviens ! Cesse de faire l'imbécile », murmure le frère. *Merde ! Elle va encore s'attirer une punition terrible.* Le jeune homme voudrait la tirer de ce faux pas, mais il ne voit pas comment. Et puis, qu'elle se fasse attraper ! Ça lui servira de leçon ! Elle n'en fait qu'à sa tête de toute façon ! Zaki pivote et s'apprête à rentrer à la maison. Mais la curiosité l'emporte. Que prépare sa sœur ? *Zut ! Où est-elle ?* Le temps de se retourner, il l'a perdue de vue.

Le chant d'Ostarak s'anime. Le rythme accélère. La voix s'éclaircit et les paroles se synchronisent aux mouvements du corps. Le chamane ne ressemble plus à un pantin désarticulé. Il entre en transe, les yeux révulsés. Derrière les fentes du masque, les deux billes noires se transforment en deux globes blancs. Sa danse devient fluide, presque gracieuse. La foule répond aux incantations sur un ton liturgique.

Tout à coup, le sorcier s'immobilise. Ça y est, *il a découvert Lia,* redoute Zaki. *Il va la changer en dinde! Ou en bouse de vache!* Le jumeau retient son souffle. Il baisse même les yeux, comme si l'intensité de son regard pouvait dévoiler la cachette de sa sœur.

Le chamane quitte sa transe. Ses yeux retrouvent leur acuité. L'homme cherche partout. Le poulet qu'il devait sacrifier a disparu. Un murmure parcourt la foule. Que signifie cette disparition? Que s'est-il passé?

— Un grand malheur va s'abattre sur Angle-sur-Lac! crie une vieille femme en panique.
— Ostarak a offensé les esprits!

Un craquement attire l'attention du chamane. Le bruit provient de sa cabane... Non, tout près... Ostarak fait signe à la foule de se taire. Les gens ont peur. Ils craignent la colère de l'Esprit du désert.

Un caquètement insouciant nargue le silence. Suivi d'un chuchotement:

— Chut! Tais-toi!
— Qui est là? demande le chamane.

De nouveau le bruit de l'oiseau. Puis la voix:

— Chut...

Ostarak retire son masque et s'avance de quelques pas en direction de l'origine du murmure.

— Sors de ta cachette! ordonne le sorcier.

Rien ne bouge. La foule s'impatiente. Le chamane lève le bras et pointe le couteau sacrificiel droit devant lui.

À la surprise de tous, une jeune fille apparaît au coin de la bicoque, le poulet dans les bras.

L'animal émet un gloussement.

— C'est la fille du général! s'exclame la vieille dame.

Lia esquisse un sourire forcé. La grogne monte dans la foule.

— Quelle honte!
— Quel manque de respect!

Lia dépose le poulet par terre. La bête se met à picorer sans se soucier du chamane et de son couteau.

— La petite a attiré sur nous le regard malfaisant des démons de la nuit, se lamente la vieille. Il faut la punir pour racheter son affront!
— Elle a raison! Il faut châtier l'impertinente! répond une voix stridente au cœur de la foule.

Zaki bondit hors de sa cachette. Pas question que l'on touche à un cheveu de sa sœur! Le jeune homme est prêt, poings serrés, cœur battant. Le premier qui fera un geste agressif envers Lia va se prendre une savate en pleine tête!

La foule avance vers Lia, qui ne bouge pas, qui comprend mal ce qui se passe. Elle se penche et ramasse le poulet, qu'elle caresse. Son sourire s'est estompé. Zaki essaie de s'interposer entre la masse de spectateurs et sa sœur, mais s'arrête à mi-élan.

Dans la lumière du soleil couchant se découpe une silhouette. Par sa simple présence, l'ombre impose le silence. Ostarak lève les yeux. Les gens ravalent leur colère.

Lia ressent tout à coup le poids de l'ombre lui écraser les orteils. Elle tressaille. Son malaise croît au même rythme que s'accélèrent ses pulsations cardiaques. Tous les yeux sont braqués sur l'homme qui se dresse devant la jeune fille. Zaki déglutit. Lia garde les yeux collés au sol. Après une pause insoutenable, la pauvre risque un regard vers le haut. Pour sauver la mise, elle se fait toute gentille et lance:

— Bonsoir, père...

Le général Lothar ne répond pas.

Pas tout de suite.

Le seigneur de guerre clôt les paupières.

— Rentrons à la maison, prononce enfin l'officier entre ses dents.

Lia, la tête basse, les épaules rondes, passe devant son père. Inquiet du sort de sa sœur, Zaki lui emboîte le pas. La foule n'ose rien dire et se disperse en silence. Le chamane ramasse ses grigris, puis disparaît dans sa bicoque.

Sur le chemin de retour, Lia tente une explication.

— Mais père, j'ai vu le poulet... Je voulais pas qu'il le tue...

Le général exhale son mécontentement par un soupir exaspéré.

— Je ne veux pas entendre un seul mot.

— Mais...

— Pas un mot! Ton comportement m'oblige à te retirer du tournoi.

CHAPITRE 8

Cité royale de Bravor

Des larmes inondent les joues de Céria.

— Père ?

Adelphe s'attendait à devoir faire des concessions déchirantes, mais il n'avait pas prévu cet affront. Pourtant, il aurait dû comprendre les ambitions de Morfydd quand il parlait d'offrir à la famille d'Enguerrand de renouer avec la gloire d'antan. En épousant la princesse, l'héritière du trône de Hudor, le salaud peut entreprendre sa campagne d'unification du royaume en toute légitimité et devenir roi.

— Votre Majesté, vous n'avez pas à répondre sur-le-champ. Comme tout sage, je sais qu'il vous faut méditer. Un mois. Je reviendrai dans un mois, déclare Morfydd. Si la réponse est positive, le mariage tiendra lieu de cérémonie de clôture lors du tournoi annuel des Guerriers.

— Vous êtes ignoble! rage Céria.
— Princesse, mes hommages, raille le Brutal.

Morfydd donne le signal au rokh de le rejoindre. Le terrible rapace pousse un cri suraigu en direction des gardes, qui tremblent sous leur casque. Les Mandrills rouges, serrés en rang dans la cour du palais, attendent l'ordre du Brutal pour passer à l'assaut. Le roi Adelphe scrute le visage du géant. Va-t-il les massacrer? Céria pointe toujours la dague en direction de Morfydd d'une main mal assurée. Dans un élan de rage, elle se jette sur le seigneur de la Forteresse rouge, qui tend le bras et la saisit par la gorge. Étouffée, la princesse échappe la dague, qui tinte contre le sol.

— Lâchez-la! ordonne le roi.
— Un mois, répète le Brutal en plongeant son regard rouge dans celui de Céria.

Morfydd desserre sa poigne. La princesse tousse et crache. Des larmes coulent jusque dans son cou marqué par les empreintes de doigts du Brutal. Le seigneur grimpe sur le dos du rokh, qui traverse la pièce et sort dehors, arrachant au passage les planches fracassées de la porte avec son bec. La bête s'élève au-dessus des bâtiments en deux coups d'aile puissants. Les Mandrills rouges enfourchent leur monture et s'envolent à la suite de leur chef. À quelque cent mètres d'altitude, l'escadrille interrompt sa montée, puis plonge en rase-mottes sur la ville, semant la panique chez les citadins. Les mains plaquées sur la tête, les habitants de Bravor fuient dans toutes les directions à la recherche d'un endroit couvert. Avant de disparaître à l'horizon, la terrible équipée effectue un demi-tour et revient vers le palais royal. Les affreux rokhs frôlent les toitures à toute vitesse.

Devant l'attaque imminente, les archers de la garde du roi brandissent leurs arcs et s'apprêtent à décocher une volée de flèches. À l'instant, le roi Adelphe se précipite dans la cour et ordonne aux archers de baisser les armes. Le souverain désire à tout prix éviter l'affrontement dans une situation aussi vulnérable. Le roi ne veut offrir aucun prétexte au déclenchement des hostilités, car il ne croit pas que Morfydd souhaite attaquer. Il suppose plutôt que sa démonstration de force vise une capitulation sans résistance.

Droit et fier au milieu de la cour, Adelphe soutient le regard arrogant du Brutal qui le toise du haut du ciel. Le seigneur de guerre esquisse un sourire, puis tire sur la bride de sa bête. L'escadrille reprend la route vers la Forteresse rouge.

Une frayeur incontrôlée s'empare de la cité. En quelques minutes, une foule s'agglutine devant la porte principale de la muraille du palais. Une foule nombreuse, fébrile. Les citadins implorent le roi. Il doit faire quelque chose! Il doit les protéger! Une dizaine de gardes à l'extérieur de l'enceinte repoussent la meute apeurée. Des bousculades éclatent. On vocifère des insultes. Des pierres jaillissent. Les soldats sont atteints au corps et au visage. Ils répliquent. Les coups pleuvent. Le chaos s'installe. Le peuple va lyncher les soldats.

Les cris des citadins inquiètent le roi. Sa garde rapprochée tente de l'emmener en lieu sûr dans les appartements royaux, lui et la princesse, mais Adelphe refuse. Malgré ses vieux muscles, malgré l'arthrite qui ronge ses articulations, il court jusqu'à la tour est surplombant la porte principale et grimpe les marches de l'escalier deux par deux. Les gardes et les archers se mettent au garde-à-vous à son arrivée. Au pied du rempart, les combats font rage entre la poignée de soldats et la population en colère. Adelphe empoigne la mailloche et frappe sur le gong qui permet d'annoncer la venue de troupes ennemies: BOÏNG! Il frappe de nouveau: BOÏNG! La foule suspend ses coups. Les soldats dressent leur bouclier.

Céria accourt auprès de son père. Le vieil homme reprend son souffle, les épaules tirées en arrière, le visage tourné vers le ciel, puis s'adresse à ses sujets:

— Citoyens!

— Laissez-nous entrer! hurle une femme aux traits livides.

— Ne craignez rien, reprend le roi.

— On va tous mourir!

— Le Brutal va nous massacrer! se lamente un maigrichon au visage ensanglanté, brandissant une pierre.

Un archer tend aussitôt son arc en direction de l'émeutier. Sans hésiter, le maigrichon jette la pierre à la tête du soldat, mais manque sa cible. La pierre frappe le roi Adelphe en plein front, lui arrachant une grimace de douleur.

— Père! s'écrie Céria.

Un silence tendu étouffe la foule.

Un violent éclair noir cingle la vision du souverain. Adelphe vacille. Un sang rouge carmin inonde la profonde entaille creusée par le projectile au-dessus du sourcil droit du monarque, puis se déverse le long de son visage jusque dans sa barbe. Ses genoux fléchissent. Avant que le vieil homme ne s'effondre, la princesse passe les bras sous ses aisselles. La jeune femme maintient son père en suspension pendant quelques secondes, puis le dépose avec douceur sur le plancher rugueux.

En bas, l'agitation reprend.

— Laissez-nous entrer! Laissez-nous entrer! s'égosille le peuple.

L'émeute s'envenime. La population déchaînée terrasse les soldats à coups de bâtons et de pierres. Craignant pour la sécurité du roi et de la cour, un officier ordonne aux archers de tirer.

— Ne tirez pas! s'interpose Céria, juste à temps.

Les archers retiennent leur geste. L'officier dévisage la princesse. Il hésite:

— Nos soldats seront massacrés, Votre Altesse.
— Ne tirez pas!

Céria ramasse la mailloche et cogne à répétition sur le gong: BOÏNG! BOÏNG! BOÏNG! BOÏNG! BOÏNG!

Les citadins lèvent les yeux. Les archers, arcs tendus, braquent les flèches sur eux, menaçant de décocher.

— Ne tirez pas ! répète Céria.

La foule cesse momentanément de tabasser les soldats tombés à leurs pieds. Des voix s'élèvent :

— Laissez-nous entrer !

— Mes amis ! Je vous en prie, restez calmes. Morfydd et ses troupes n'attaqueront pas. Vous êtes en sécurité.

Le roi Adelphe se relève avec difficulté. L'officier l'aide à se tenir droit. Ses aplombs repris, le vieux souverain, digne malgré le sang qui continue de couler de la plaie, prend place aux côtés de sa fille.

— Morfydd n'attaquera pas, confirme le roi en s'épongeant le front avec la manche de sa tunique.

— Vous mentez !

— Il va tous nous massacrer, mordieu !

— Comment allez-vous nous protéger ?

Le roi lève les bras pour apaiser la population. Évitant le regard de Céria, Adelphe annonce :

— Nous avons conclu un traité de paix.

— Vous mentez ! Vous mentez ! C'est quoi, ce traité ?

Les paroles du monarque tombent comme un couperet sur la tête de la princesse. En une seconde, la vie de la jeune femme bascule.

— Pour assurer la paix entre nos deux cités, la princesse Céria va épouser le seigneur Morfydd.

La foule accueille la déclaration avec un mélange de compassion pour la fille du roi et de soulagement. Céria demeure immobile, paralysée. Jamais elle n'aurait cru son père capable d'une telle trahison. Où est passé son courage? L'âge l'a-t-il rendu à ce point lâche? Elle ne peut concevoir que son père lui préfère la sagesse et la paix... Et l'honneur de la famille d'Enguerrand? Jamais elle n'épousera le Brutal, jamais! Plutôt mourir que de consentir à un tel sacrifice!

La future reine tourne les talons, dégoûtée par la décision de son père. Au moment où elle s'engage dans l'escalier, le vieil Adelphe pose la main sur l'épaule de sa fille. Céria pivote sur elle-même. Une envie folle de gifler le monarque lui serre les entrailles.

— Père... Je ne... Vous avez trahi l'amour que je vous porte... trahi l'honneur de la famille!

— Ma chérie, j'ai évité un bain de sang.

— Mais...

— C'est tout ce que j'ai fait.

— Vous voulez dire… ?

— Il nous reste un mois. Un mois pour préparer notre réponse à Morfydd.

CHAPITRE 9

La Forteresse rouge

La nuit lèvera son voile dans quelques heures. Pour l'instant, l'obscurité recouvre le terrain de parade de la Forteresse rouge. Le commandant Ader inspecte ses troupes. Devant lui se tiennent au garde-à-vous mille guerriers Mandrills rouges, ses forces d'élite. Sous le faible éclairage de la lune, l'officier passe en revue les plastrons, les cottes de mailles, les épaulières et les canons d'avant-bras. Le cuir doit être poli et le métal lustré.

L'inspection terminée, le défilé se met en branle devant Morfydd. Les Mandrills rouges entonnent un chant de guerre. Les voix graves et puissantes des hommes-singes s'élèvent au-dessus des murs de la forteresse.

Le Brutal savoure la montée en puissance de ses forces d'élite. Il possède un contingent de guerriers redoutables. Les hommes-singes, ses fidèles alliés depuis l'époque où il était un vulgaire détrousseur, vouent leur vie aux arts martiaux et au culte d'Ignos, le dieu du feu. Lutter représente pour eux un acte vital, le sens de leur existence. Chaque coup porté est une prière, chaque victoire, une offrande à Ignos. Et le sang répandu qui abreuve le sable, un sacrifice rituel. Combattre contre ces créatures, c'est guerroyer contre la mort elle-même.

— Halte! ordonne Ader lorsque le défilé revient à sa position de départ.

Les Mandrills rouges exécutent deux pas supplémentaires. Au troisième, ils lèvent le genou droit, puis rabattent le talon avec vigueur. Un synchronisme parfait.

Au son du clairon, un nuage menaçant se forme au-dessus de la forteresse, un nuage noir composé d'un millier de rokhs. Les piaillements produisent un vacarme infernal.

— Ouvrez les rangs! commande Ader.

Le rang arrière recule de dix pas. Les oiseaux monstrueux surplombent maintenant le contingent, provoquant des tourbillons de sable au sol. Disciplinées, les bêtes atterrissent entre les deux rangées de soldats. Un rokh se détache du groupe et s'avance vers Ader, qui monte sur le dos de la bête.

Au signal du commandant, les Mandrills rouges grimpent à leur tour sur leur monture. Ader donne l'ordre. L'escadron s'envole.

***

Havre-aux-Dunes

Pendant ce temps, les villageois d'Havre-aux-Dunes dorment d'un profond sommeil. Seules quelques torches illuminent les tours de guet aux quatre coins du bourg tandis que des patrouilles sillonnent les dunes aux alentours. À la différence des autres villages de la contrée, des dunes de sable hautes comme des montagnes entourent la bourgade, formant une muraille naturelle laborieuse à franchir et offrant une position défensive avantageuse.

L'escadron fonce tout droit sur le village. Un peu plus loin, une patrouille de deux soldats arpente le sommet d'une dune.

— As-tu entendu ?
— Non, quoi ?
— On dirait quelque chose dans le ciel...

Le soldat pousse un cri de frayeur à la vue du rokh chevauché par un homme-singe qui se jette sur lui. Le commandant Ader dégaine son sabre et tranche la tête des deux patrouilleurs. Deux coups vifs et précis. Le sang gicle des artères sectionnées. Les corps désarticulés plient les genoux et s'effondrent à côté de leurs têtes. Les torches que les soldats transportaient s'éteignent dans le sable. Aussitôt, le guet de la tour sud constate la disparition des signaux de veille et sonne l'alarme.

Le clairon retentit dans la caserne. Les miliciens enfilent leur armure de combat et se précipitent à l'extérieur. Les officiers coordonnent le rassemblement dans le calme et dans la discipline. Les archers prennent position dans les tours de guet et sur la palissade. Au même moment, la cavalerie se présente devant les portes d'entrée, suivie des fantassins cordés en rangs serrés.

Les villageois s'éveillent, mais ne paniquent pas, car ce type d'attaque nocturne est devenu routinier. Certains hésitent même à se vêtir, sachant que la milice écrase toujours rapidement les assaillants.

L'officier commandant la milice grimpe et va trouver la sentinelle de la tour sud.

— Avez-vous identifié l'ennemi ?

— Pas encore, mon commandant. La patrouille de la dune sud a été neutralisée, mais nous ne constatons aucun mouvement de troupes. Elles se cachent toujours de l'autre côté de la dune.

— Très bien, ouvrez les portes, nous allons déployer nos forces à l'extérieur de l'enceinte du village. Ils ne s'attendront pas à un déploiement aussi rapide.

L'officier termine sa phrase quand soudain une flèche transperce sa gorge. Un bouillon de sang mêlé de salive explose dans sa bouche. Le commandant tourne sur lui-même, le visage convulsé, puis bascule par-dessus la palissade. Son corps atterrit tête première sur le sol. Le craquement sinistre de sa nuque horrifie la sentinelle.

Une deuxième flèche se fiche dans l'épaule du guetteur, qui pousse un cri de douleur. Les archers scrutent l'horizon sans pouvoir localiser l'origine du tir. Ils veulent répliquer, mais l'ennemi demeure dissimulé derrière la dune sud. Pourtant, il n'existe aucun arc assez puissant pour atteindre la palissade depuis cette distance. Un archer doit être embusqué tout près...

Un mouvement dans le ciel attire l'attention de la sentinelle blessée.

— Regardez!

Une affreuse gorgone ailée chevauchée par un diable à la crinière laineuse s'abat sur le soldat. Elle le soulève, puis le projette sur les troupes assemblées dans la cour intérieure. L'escadron de la mort surgit du ciel. Les guerriers Mandrills rouges poussent des cris de guerre en brandissant leurs armes. La milice rompt les rangs, en panique. Les archers postés sur la palissade lancent une volée de flèches qui se perdent dans l'obscurité ou rebondissent contre le poitrail ou contre les ailes des rokhs. Les oiseaux de la foudre déciment les archers dont les corps s'empilent au pied de la palissade.

Menés par Ader, les Mandrills rouges sautent au sol et engagent le combat contre les miliciens. La cavalerie tente de se regrouper, sans succès. Assaillis à la fois par les hommes-singes et par les rokhs, les chevaux, pris de terreur, lancent des ruades et piétinent les cavaliers tombés par terre. Les Mandrills rouges pourfendent les miliciens à coups de sabre. Les corps valsent et s'effondrent dans le sable rougi par le sang. Bientôt, les premiers rayons du soleil percent l'horizon. La lumière diffuse du matin baigne le village dans l'horreur.

Des fantassins se rassemblent pour former un front uni contre les Mandrills rouges. En rangs serrés, ils résistent, boucliers levés. Tout autour, le carnage s'intensifie. Les soldats morts jonchent le sol. Les Mandrills rouges pourchassent les villageois jusque dans les chaumières, qu'ils incendient. Les hommes-singes poussent les femmes et les enfants à l'extérieur du village, puis les enchaînent. Les hommes qui résistent à leur capture sont décapités sur-le-champ; les autres, faits prisonniers. Encerclés, les fantassins resserrent d'instinct les rangs. Ils sont si près les uns des autres que leurs mouvements se trouvent entravés. Ils forment une tortue géante, pataude et lente. Autour d'eux, les Mandrills rouges ricanent. Le commandant Ader, couvert du sang de ses adversaires, s'adresse aux miliciens:

— Je vous propose un marché. Si votre meilleur combattant me vainc en combat singulier, nous libérerons les femmes et les enfants.

— Vous nous donnez votre parole? prononce d'une voix mal assurée celui qui semble être un officier.

Le rire glauque d'Ader liquéfie les tripes des fantassins, qui déglutissent.

— Augmentons la mise. Sélectionnez les dix meilleurs combattants de votre groupe. S'ils me battent, nous vous épargnons tous, renchérit Ader.

Après quelques secondes d'hésitation, dix soldats émergent des rangs. Les plus braves. Les plus costauds. La tortue se reforme aussitôt derrière eux. Les dix gaillards se tapent la poitrine du poing pour se donner du courage. Ader, un sourire satisfait sur les lèvres, les observe. Les miliciens brandissent des sabres recourbés. L'un d'eux abandonne son bouclier et dégaine un second sabre. Ader apprécie la musculature de ses adversaires, heureux de combattre des guerriers de valeur. Pour lui, un défi moindre aurait été décevant. Le Mandrill rouge garde les bras le long du corps, détendu. Seuls ses yeux suivent les mouvements des miliciens qui avancent vers lui en élargissant les rangs de manière à l'encercler. À quelques mètres de l'homme-singe, les fantassins accélèrent le pas. Poussant un cri de rage, ils s'élancent sur Ader, qui bondit par-dessus la ligne de front et passe derrière eux. Les miliciens se retournent aussitôt. D'un geste ample, le commandant des Mandrills rouges tranche la jambe d'un soldat, qui hurle de douleur. Son corps s'affaisse sur le côté. Ader pourrait l'achever, mais il le laisse gémir.

Le commandant cherche à terroriser ses adversaires. Comme souhaité, les cris du blessé jettent la panique chez les miliciens, qui se lancent de manière désordonnée sur Ader. Le Mandrill rouge pare les coups de sabre qui proviennent de tous les angles. Vif et agile, il décoche un coup de pied frontal en pleine mâchoire d'un soldat. La seconde suivante, le sabre d'Ader sépare les deux bras du tronc du bidasse. Le pauvre hurle maintenant en duo avec la première victime. Le Mandrill rouge passe à l'attaque et démembre trois autres miliciens. Sans les tuer.

Les cinq derniers guerriers se ressaisissent. S'ils souhaitent survivre, ils doivent changer de tactique. Suivant les ordres de l'officier, ils coordonnent leur assaut. Ader recule. Les coups tombent dru. Les sabres s'entrechoquent avec violence. Ader se fait déborder sur sa gauche, puis sur sa droite. L'homme-singe ramasse le sabre d'un milicien blessé afin de réussir à bloquer tous les coups. Les miliciens gagnent en confiance. Un vague espoir ranime les soldats spectateurs dont le sort dépend de l'issue du combat. Ader est acculé au pied de la tour sud, dos à la palissade. En retrait, les Mandrills rouges regardent le spectacle sans broncher. Leur commandant trace soudain un trait dans le sable devant lui. Ce mouvement distrait l'un des miliciens pendant une fraction de seconde. Ader lui tranche la main droite à la hauteur du poignet, puis la gauche à la hauteur du coude. Le Mandrill rouge profite de la brèche créée au centre par le soldat qui s'écroule pour s'extirper de sa mauvaise posture. La bataille a assez duré! Le colosse taillade sans pitié les quatre autres soldats. Il sème des pieds, des mains, des bouts de bras et de jambes partout autour de lui. Les hurlements des miliciens s'estompent petit à petit à mesure qu'ils se vident de leur sang.

Les miliciens ferment les yeux. L'espoir est mort. Les Mandrills rouges leur passent les chaînes autour des poignets et des chevilles.

Les corps démembrés gisent au sol dans une boue brunâtre.

CHAPITRE 10

La Forteresse rouge

Le hameau de Havre-aux-Dunes n'existe plus. L'âme du bourg, à quelques kilomètres à l'est de la Forteresse rouge, a été soufflée d'un coup au petit matin. Ne restent plus que des cendres. La milice locale n'a rien pu faire contre le millier de Mandrills rouges, montés sur d'affreuses gorgones ailées, qui se sont abattus sur le village du haut des airs. Au chant du coq, la mort et la destruction ont frappé. La bravoure des miliciens s'est butée à une force trop féroce. Les cris et les supplications des villageois ont retenti sans émouvoir les guerriers d'élite de Morfydd.

Le soleil cogne contre les cuirasses des Mandrills rouges qui apparaissent au-dessus de la ligne d'horizon. Le vent soulève leur crinière laineuse. Les hommes-singes reviennent de mission, gonflés de fierté.

En vol groupé, l'escadron atterrit dans la cour centrale de la Forteresse, déclenchant un épais nuage de poussière jaune. Dans le ciel azur retentissent les cris des rokhs. Leur plumage noir étincelle. Devant les affreux bipèdes s'ouvrent les portes de la citadelle.

Un contingent de prisonniers pénètre dans l'enceinte et défile sous l'œil satisfait de Morfydd. Les villageois de Havre-aux-Dunes sont enchaînés les uns aux autres, en rang deux par deux. Ils sont tirés par d'implacables cavaliers qui ne ménagent pas les coups de fouet. « Halte ! » ordonne le capitaine du détachement. La poussière s'élève puis retombe sur les détenus. L'air frotte sur la peau comme du papier sablé. Des vieillards toussent ; des enfants reniflent et pleurent.

Le Brutal sourit.

Ader, le commandant des Mandrills rouges, descend de son rokh, puis rejoint Morfydd, son maître. Le colosse s'incline en signe de respect.

— Des pertes ?
— Aucune, Seigneur.

D'un geste de la main, Morfydd ordonne aux troupes de conduire les prisonniers aux geôles. Les lamentations redoublent. Les enfants plongent le nez dans les jupes de leur mère. Les femmes et les enfants seront vendus comme esclaves aux mines de la Veuve tandis que les hommes en âge de se battre seront formés et entraînés.

Un prisonnier aux cheveux drus, aux traits anguleux, se racle la gorge, puis laisse partir un crachat visqueux en direction du Brutal. Le glaviot claque contre le cuir de la botte de Morfydd.

— Plutôt mourir que d'être séparé de ma famille! clame le cracheur.

— Si tel est ton désir.

Morfydd dégaine son sabre, pivote sur lui-même, puis tranche la tête du renégat. Un terrible rictus de surprise et d'effroi fige à jamais les lèvres du rebelle.

Horrifiés, les détenus baissent la tête. Le rokh du commandant Ader se précipite en piaillant sur le cadavre et se repaît de sa chair.

— Convertissez-vous au culte d'Ignos et ralliez les rangs des Guerriers du feu. Ou mourez! tonne le seigneur de la Forteresse rouge.

Pour sa conquête du royaume de Hudor, Morfydd a besoin de troupes afin d'appuyer les Mandrills rouges, ses guerriers d'élite. Havre-aux-Dunes est le sixième hameau à succomber aux ambitions du

Brutal en moins de trois semaines, le quinzième en un an. La cadence des raids a augmenté. L'armée grossit. Son contingent de Guerriers du feu, formé de mercenaires et de prisonniers convertis, atteindra bientôt un nombre suffisant pour envahir le Tosmor, la première étape de son invasion. Le roi Adelphe n'aura dès lors aucune chance contre ses forces.

La conversion et l'entraînement des nouveaux prisonniers débuteront à l'aube. Pour l'instant, ils ont droit à un bol de jus de cactus et à un petit pain sec. Leur esprit veut se rebeller, mais leur corps se soumet. L'instinct de survie est un maître plus puissant que la haine. Affamés et épuisés, les prisonniers boivent et mangent. Même les têtes fortes capitulent et sapent avec avidité le jus de cactus. Ils mordent à pleines dents dans le petit pain, souhaitant de toutes leurs forces que ce repas ne soit pas leur dernier.

Un peu avant le lever du soleil, les moines du feu réveillent les prisonniers et amorcent le rite d'initiation et de purification. Les religieux rasent le crâne des détenus, puis les dépouillent de leurs vêtements. Toujours enchaînées, les nouvelles recrues sont conduites par des gardes à l'intérieur du temple d'Ignos. Les torches accrochées aux murs jettent une lumière inquiétante sur le plancher. De l'encens embaume l'air. Nues, les recrues marchent d'un pas craintif, le cœur dans la gorge. Les moines prononcent le premier commandement des Écritures du feu sur un rythme psalmodique, sans discontinuer: «Ne t'éteins jamais. Ne t'éteins jamais. Ne t'éteins jamais.» Les paroles sacrées résonnent contre les parois rocheuses du temple. L'écho renfonce chaque mot dans la tête bourdonnante des prisonniers.

La procession approche de l'autel où se tient l'Ardent, le grand prêtre du culte d'Ignos. Il est debout, les mains jointes, les yeux clos. Ses lèvres remuent de manière quasi imperceptible. Le grand prêtre porte une longue toge orange. Sa barbe tressée repose sur sa poitrine. Un cercle de métal ceint son front: une couronne sans bijoux, couleur d'étain. Le vieil homme écarte les bras. Les moines haussent la voix. Bientôt, ils hurlent. L'incantation devient assourdissante: «NE T'ÉTEINS JAMAIS! NE T'ÉTEINS JAMAIS! NE T'ÉTEINS JAMAIS!» Les prisonniers, dont les mains sont attachées derrière le dos, ne peuvent se boucher les oreilles. Un tambour retentit. Le rythme s'accélère. L'Ardent émet un long sifflement aigu entre ses dents. Les corps devant lui souffrent. Les esprits se braquent. Puis succombent. Le sifflement atteint une fréquence hypnotique. Il vrille les tympans, désarticule la volonté. Les yeux des prisonniers se révulsent, leur corps s'affaisse sur les genoux.

Le tambour ralentit. L'incantation diminue en intensité. Puis devient murmure. L'Ardent se retourne et pose les mains sur l'autel d'où jaillit une flamme. Le grand prêtre l'attrape. Dans un mouvement circulaire, il transforme la flamme en boule de feu. Plus il écarte les mains, plus la boule grossit. Lorsqu'elle atteint la circonférence d'une roue de charrette, le tambour s'arrête, le murmure s'estompe, l'Ardent lève les bras, puis projette la balle incandescente sur les prisonniers.

Le chant et le tambour reprennent: «Ne t'éteins jamais! Ne t'éteins jamais! Ne t'éteins jamais!»

La flamme enveloppe les prisonniers, qui ouvrent la bouche par réflexe. Leur peau luit dans la demi-obscurité. Le blanc de leurs yeux scintille. L'Ardent décrit un grand cercle avec les bras, soumettant la flamme qui lui obéit et qui se met à tourbillonner sur elle-même. L'air surchauffe. Soudain, le grand prêtre frappe les mains ensemble. D'un coup, les prisonniers inspirent le feu qui disparaît dans leur gorge.

L'incantation se poursuit: «Ne t'éteins jamais! Ne t'éteins jamais! Ne t'éteins jamais!» Les

prisonniers se joignent aux moines: «Ne t'éteins jamais! Ne t'éteins jamais! Ne t'éteins jamais!» En crescendo: «Ne t'éteins jamais! Ne t'éteins jamais! NE T'ÉTEINS JAMAIS!»

Le chant cesse.

Seul le tambour, en sourdine, marque le temps: boum... boum... boum...

Après une longue pause, la voix gutturale de l'Ardent ébranle les murs du temple:

– Ignos, source de la vie et de la destruction, accueille tes nouveaux disciples. Permets-leur de prouver leur valeur en cette vie par le combat. Qu'ils imposent ta loi sur les faibles et les indignes. Permets-leur de s'élever au-dessus des vicissitudes du monde matériel, qui n'est que chaos et souffrance. Que leur vie soit un combat à mort. Que cette existence temporaire investie de la flamme éternelle leur ouvre l'accès à l'immortalité de l'âme. Ô Ignos, accueille tes nouveaux disciples; donne-leur la force de devenir des Guerriers du feu; donne-leur la force de ne jamais s'éteindre!

Le tambour bat plus fort: BOUM! BOUM! BOUM!

L'incantation reprend en chœur: «NE T'ÉTEINS JAMAIS! NE T'ÉTEINS JAMAIS! NE T'ÉTEINS JAMAIS!»

CHAPITRE 11

Angle-sur-Lac

Depuis deux jours, à peine rentrée de l'école, Lia s'enferme dans sa chambre. Aujourd'hui encore, elle n'a parlé à personne. Étendue sur son lit, elle fixe un nœud dans une planche du plafond. Le renflement forme une spirale qui s'enfonce dans le bois. Elle souhaite s'y réfugier. Disparaître. La jeune fille ne comprend pas. Ses émotions la bousculent. Tout va toujours trop vite dans sa tête. Tout l'attire et l'éparpille. Des explosions éclatent dans son cœur et dans son esprit. *Pourquoi mon corps n'obéit-il pas? Il part à l'aventure, d'un coup, sans me consulter. Ensuite, il est trop tard. Ce qui est entrepris est entrepris...*

Dans la cuisine, son père et sa mère discutent. Le ton est grave; l'atmosphère tendue. Lia les entend. Ils parlent d'elle. La colère teinte la voix de son père:

— Elle n'a aucune discipline. Comment réussira-t-elle?

— Elle a un talent extraordinaire.

— Le talent ne suffit pas.

— Elle est encore jeune...

— N'a-t-elle pas le même âge que son frère ? Elle n'a aucun respect de l'autorité. Elle n'en fait toujours qu'à sa tête.

— Lia n'est pas faite pour obéir.

— Il faut savoir obéir avant de commander.

— Laisse-lui le temps d'apprendre.

— Pour apprendre, elle va apprendre. Lia !

La jeune fille tressaille.

— Lia, viens ici !

Lia passe les mains dans son visage. Elle veut effacer la trace de ses pleurs. Son cœur pèse une tonne.

— Lia ! s'impatiente son père. Tu vois, il faut toujours répéter.

La jeune fille s'assoit dans son lit. Non. Elle n'ira pas. Elle n'a pas envie de discuter. Elle n'a pas envie de recevoir des ordres. Elle connaît la rengaine. Toujours la même : discipline, discipline, discipline ; le talent ne suffit pas... bla bla bla... Ces paroles lui râpent la cervelle, lui font mal.

— Lia !

Laisse-moi tranquille!

— Je ne le redirai pas!

Oui, tu vas le redire... parce que c'est ce que tu fais toujours...

Le bruit des pas de son père s'amplifie dans le corridor. Il approche.

— Lia!

Je n'irai pas!

Son père ouvre la porte.

— Pourquoi tu ne réponds pas?
— Je ne vous avais pas entendu, marmonne Lia.

Lothar entre dans une colère sourde. Ses muscles se tendent. Ses traits se durcissent. Comment fait-elle pour l'exaspérer à ce point? Lui qui ne perd jamais contenance devant un ennemi? Comment une jeune fille de quatorze ans peut-elle ainsi tester tout l'enseignement qu'il a reçu de ses maîtres? Le général se remémore les maximes de maître Tacim sur la maîtrise de soi. Cette réflexion lui permet d'apaiser sa colère. Il n'a pas le droit de se fâcher ainsi. Il ne s'emporterait pas devant un soldat, alors pourquoi s'autoriserait-il une telle impatience envers sa fille qu'il aime tant?

Les secondes butent contre le silence. Lothar dévisage Lia. Elle a pleuré. Elle regrette sûrement son comportement inacceptable. Seul le fou se croit sage. La sagesse est un combat infini contre soi. Grâce à cette pensée, Lothar regagne un soupçon de sérénité.

— Je peux aller m'entraîner avez Zaki? demande Lia d'une voix détachée.

Un soubresaut de colère pince la bonne volonté du général. Il penche la tête vers l'arrière et laisse échapper un soupir.

— J'ai à te parler.
— Ça ne peut pas attendre?

Comment demeurer calme?

— Assois-toi.
— Je veux aller m'entraîner. Vous savez, le talent ne suffit pas...
— Assois-toi, j'ai dit.

Lia hésite. Puis obéit. Elle s'assoit sur le lit de son frère, le lit du bas.

— Je sais ce que vous allez me dire, ronchonne la jeune fille.

Tu répètes tout le temps la même chose.

— Alors pourquoi n'obéis-tu pas?

— Parce que...

Lia ouvre la bouche pour répondre, mais les mots ne viennent pas. Elle fouille dans ses pensées. Rien. Aucune explication...

— Je peux aller m'entraîner, maintenant?

Lothar perd de nouveau patience:

— Es-tu consciente des conséquences de tes actes? Tu as interrompu un rite sacrificiel. Tu as provoqué l'Esprit du désert. De grands malheurs peuvent s'abattre sur nous.

— Vous n'y croyez même pas...

— Que dis-tu?

— Les rites... Vous n'y croyez pas. Je vous ai entendu, l'autre jour. Maman évoquait la protection de l'Esprit du désert et vous lui avez répondu que seul votre sabre assurait la sauvegarde de la famille et du village...

Lothar ne peut nier sa méfiance à l'égard des croyances populaires, mais il respecte la sagesse et l'influence des chamanes.

— Tu n'as donc rien fait de mal? Ton comportement est irréprochable?

— J'ai sauvé un poulet.

— Tais-toi. Tu m'insultes et tu insultes tes ancêtres.

Après un silence tendu, les traits courroucés de Lothar s'affaissent. Lia observe la colère de son père céder la place à une terrible déception. Le général quitte la chambre. La jeune fille demeure livide. Pourquoi a-t-elle gâché la chance de se faire pardonner? Exclue du tournoi, elle ne pourra pas prouver sa valeur et devenir membre de la milice. Les larmes explosent dans ses yeux. La jeune fille roule sur le lit. Elle ravale ses pleurs. Elle ne voulait pas décevoir son père... Au contraire! Elle veut qu'il soit fier de sa fille, fier de ses prouesses... Mais elle commet toujours des bourdes...

Les yeux pleins de larmes, Lia se faufile à l'extérieur de la maison par la fenêtre de la chambre. À peine ses pieds touchent-ils le sol que la jeune fille se met à courir. Elle court. Aussi vite que possible. Sans raison. Sans but. Elle franchit le coin de la rue, puis fonce à gauche, sans regarder. Bientôt, l'air assèche ses larmes. Sa vision brouillée se précise. Son idée aussi. Elle coupe à droite dans une ruelle, ressort tout près de la forgerie, passe devant l'école d'arts martiaux à toute vitesse, puis s'arrête devant le terrain de parade.

Elle va montrer à son père de quoi elle est capable!

Lia traverse le terrain de parade d'un pas décidé. Devant elle se dresse l'échafaud. Lia attrape la corde lisse. L'adrénaline et la colère la propulsent vers le haut. Ses mains passent l'une par-dessus l'autre à un rythme effréné. Ses pieds, enroulés autour de la corde, soutiennent chaque élan vers le sommet. La douleur s'annonce à la quinzième ascension. Mais elle l'ignore. Ses mains engourdies se referment sur les ampoules. Sa détermination injecte une nouvelle dose d'adrénaline dans ses muscles. La fille du général atteint la poutre supérieure pour une vingt et unième fois. Elle a battu son propre record et s'approche de celui de son père. Ses bras se rebellent. Ses coudes se bloquent. Encore un effort! La jeune fille se laisse pendre au bout de ses bras pour étirer ses muscles. L'acide lactique se dissipe quelque peu. Lia peut reprendre la descente. Une fois les pieds au sol, son corps refuse de remonter. Lia tente le coup une nouvelle fois. Rien à faire.

La voix de maître Tacim surprend la jeune fille :

— Tu peux le faire.

Lia sursaute.

— Maître Tacim ?
— Allez, monte.
— Je ne peux pas... Mes bras...
— Très bien, je m'en vais.

Maître Tacim tourne les talons et se dirige vers l'école. Lia regarde vers le haut. Le sommet de la structure semble enfoui dans le ciel à une hauteur inatteignable. La jeune fille fronce les sourcils. Encore quatre ! Elle referme ses paumes douloureuses sur la corde et se hisse d'un mètre. Une souffrance indicible la tire vers le bas, vers l'abandon. Mais Lia lutte. Elle aura mal plus tard. Pour l'instant, c'est le sommet qu'elle vise. Hop ! Sa main droite atteint le bois chaud de la poutre. Ce contact la réconforte, comme s'il s'agissait d'un rempart contre le vide. Pour économiser ses forces, elle affine sa technique de descente. La corde bien enroulée autour de la cheville droite, elle utilise son pied gauche comme frein et ses mains simplement comme guide. Les trois montées suivantes s'effectuent comme dans un songe. Lia se réveille en haut, puis redescend dans le même état d'esprit. La conscience la rattrape avant la vingt-sixième ascension. Une excitation teintée d'angoisse enlace son cœur qui bat la chamade. *Je vais battre le record de mon père!*

Elle s'élance. Du moins, c'est l'impression qu'elle ressent. Or, ses mouvements sont lents et pénibles. Chaque centimètre lui écorche la volonté. Chaque centimètre provoque la remise en question de son objectif. Mais elle ne lâche pas. Elle progresse. Le soleil, penché à l'ouest, presque caché derrière les montagnes du massif de l'Éternel, dore son visage durci par l'effort. Au loin, elle aperçoit une oasis, une touffe de verdure dans le désert. Lia sourit. Elle aimerait plonger la tête dans un étang! Soudain, sa main frappe contre la poutre supérieure...

Elle a réussi!

Une joie immense envahit son cœur. Des larmes coulent le long de ses joues. Gonflée de fierté, elle cherche le regard de Maître Tacim.

Le maître n'est plus là.

CHAPITRE 12

Tous les autres novices sont rentrés à la maison. Zaki martèle le poteau de frappe depuis une vingtaine de minutes dans la cour d'entraînement de l'école d'arts martiaux. Ses *jabs,* directs et crochets se succèdent à un rythme soutenu. Il maîtrise sa respiration afin qu'elle ne s'emballe pas. Il raffine sa technique. Ses mouvements sont vifs, précis. Ses enchaînements gagnent en fluidité et en rapidité. Une sueur fine glisse sur ses muscles. Rien n'existe autour de lui pendant qu'il s'entraîne. Le temps implose.

L'esprit de Zaki, comme un œil au-dessus de son corps, décortique chaque combinaison. Il analyse la séquence des coups, les déplacements, la posture. Le jeune homme ajuste la trajectoire de son poing ou de son pied au millimètre près. S'il rentre légèrement le coude vers l'intérieur..., comme ça..., l'*uppercut* cogne plus fort. Un pivot plus rapide des hanches accroît aussi l'impact du poing sur la cible. Il se concentre sur les détails. Une frappe plus solide peut couper le souffle ou rompre un os de l'adversaire et le mettre hors de combat. Une fraction de seconde peut faire la différence entre la défaite ou la victoire. Zaki vise l'efficacité optimale. Il répète les mêmes mouvements jusqu'à l'épuisement. Puis, il recommence.

Zaki devrait prendre une pause, car ses ligaments fatigués réclament un répit. Mais le tournoi approche et il s'en voudrait de négliger certains aspects de sa préparation. Alors, il redouble d'efforts pour vaincre la lourdeur qui ralentit son corps.

Un rire éclate derrière le fils du général. En colère, il se retourne pour vilipender l'importun.

Devant lui se dresse le lieutenant Berthol, accompagné d'une dizaine de miliciens. Son nez a encore enflé. De patate, il est passé à courge. Une courge bleuâtre, comme la couleur de la peau sous ses yeux. *Un raton laveur qui louche,* pense Zaki. *Lia aimerait ma comparaison!*

— T'es chanceux, le poteau ne retourne pas les coups, lance Berthol.

Les miliciens pouffent de rire. Le vouvoiement protocolaire de l'officier a cédé la place au *tu* agressif et haineux. Zaki se met au garde-à-vous. Il colle les talons, redresse les épaules et plaque les poings le long du corps. Le lieutenant s'approche. Son haleine âcre effleure le visage du novice.

— Tu n'as pas répondu.

Tu n'as pas posé de question, crétin..., rétorque Zaki dans sa tête, réfléchissant à la manière dont Lia pourrait répondre.

— Tu te crois supérieur? Parce que t'as été chanceux dans un combat, tu penses que t'es meilleur que nous?

Zaki crispe la mâchoire. Ses muscles palpitent. Il sent la colère monter en lui. *Je ne dois pas céder à la provocation...*

— Non, Lieutenant!
— Oh! Comme c'est mignon. Le parfait petit soldat n'ose pas contredire son lieutenant. Mais je lis dans tes pensées. Ta suffisance me dégoûte!

Zaki prend une profonde inspiration. Le visage de Berthol n'est plus qu'à quelques centimètres du sien.

— Tu veux me frapper? crache l'officier.

Le novice garde le silence.

— Réponds! Tu veux me frapper?

Zaki peine à maîtriser l'impulsion de sauter à la gorge du bigleux.

— RÉPONDS!
— Non, Lieutenant, mâchouille le novice entre les dents.

Le fils du général desserre les poings. Il a réussi à réfréner son agressivité. Son souffle reprend un rythme normal. La tempête se dissipe. Le calme revient.

Berthol tourne les talons. Zaki se détend, satisfait d'avoir évité l'affrontement. Le lieutenant s'éloigne de quelques pas, les épaules rondes, la tête penchée vers l'avant. À environ deux mètres, l'officier s'immobilise.

— Petite merde! rage-t-il en se retournant.

Vif, il se propulse du pied gauche et balance son pied droit dans le plexus de Zaki. Le diaphragme du jeune homme encaisse le choc, expulsant tout l'air contenu dans ses poumons. À court d'oxygène, Zaki tombe sur les genoux.

Berthol l'agrippe par les cheveux.

— Tu vois, j'ai appris la leçon moi aussi: un ennemi surpris est à demi vaincu.

L'officier décoche une droite sur le nez de Zaki. Une douleur foudroyante vrille la tête du garçon. Le sang éclabousse sa poitrine. Berthol admire son travail, un sourire complaisant pendu sous la mailloche bleue qu'est devenu son nez.

— On se ressemble, maintenant. On pourrait être des frères, ricane le lieutenant.

Zaki s'effondre sur le sol. Son esprit lutte contre la chape noire qui pèse sur sa conscience. S'il perd connaissance, il est foutu... De l'air... Son diaphragme doit reprendre son rôle... Vite! L'obscurité avale sa vision. Un filet de lumière frémit tout au loin. Allez! De l'oxygène!

«AHHHHHHHHHHH!» Zaki aspire une immense bouffée d'air. Son corps se cambre, son esprit chasse les ténèbres. Sa vision s'éclaircit. Il tousse, crache de la poussière jaune, le visage barbouillé de sang et de morve. Le lieutenant rigole toujours. Son adversaire terrassé, sa revanche prise, l'officier s'apprête à lancer une dernière insulte quand Zaki l'empoigne par les chevilles et le fait basculer sur le dos.

De peine et de misère, le novice se relève.

— Tu l'as dit: à demi vaincu, pas vaincu! lâche Zaki une fois debout sur ses jambes.

Fou de rage, le lieutenant se jette sur Zaki. Les deux corps s'entrechoquent dans une étreinte violente. Les combattants roulent au sol. Une lutte échevelée s'engage. Chacun tente de surprendre l'autre par une prise de soumission. Zaki abat son coude sur la tête du lieutenant qui lui laboure les flancs avec ses genoux. Les deux guerriers lâchent des grognements convulsifs, étouffés par la douleur.

Soudain, une main noueuse empoigne le lieutenant par l'épaule. Le pouce s'enfonce sous sa clavicule tandis que l'index et le majeur compriment son trapèze. Berthol émet un cri. Toutes ses forces se dissipent et il devient mou comme une guenille. L'autre main réserve le même sort à Zaki, dont les muscles se liquéfient.

Ébahis, les deux rivaux lèvent la tête en même temps et s'exclament:

— Maître Tacim!

CHAPITRE 13

Cité royale de Bravor

Céria pousse des deux mains la lourde porte de la salle de guerre. Le roi Adelphe sursaute, de même que les deux conseillers penchés au-dessus d'une carte étendue sur la table.

— Je suis prête à me battre, déclare la jeune femme.

— Ma fille, tu n'es pas censée être ici.

— Dois-je vous rappeler que vous avez insisté pour que j'assiste aux séances du conseil afin de m'initier aux affaires de l'État ?

— Ce n'est pas une séance du conseil. J'ai réuni la cellule d'urgence pour faire face à la situation...

— Une situation qui me concerne au premier chef.

— Ma chérie, nous avons fort à faire et le temps nous manque...

— Le sort du royaume est lié à mon destin. Je reste. Vous n'êtes pas celui qui devra partager le lit de Morfydd. Messieurs, vous ne voyez pas d'inconvénient à ce que je participe à la discussion?

Sans attendre la réponse, la jeune femme s'assoit au bout de la table, face à son père. Les deux fidèles conseillers du roi, Albéric Cyprien et Aubert Tibaud, connaissent bien le caractère obstiné de la princesse, qu'ils ont vue naître et grandir. Originaires du petit village côtier de Pointe-à-l'Espoir, ces deux fils de pêcheurs devenus nomades, puis mercenaires, sont entrés au service du roi Adelphe il y a plus de vingt ans. Lors du massacre de Port-au-Ciel par les troupes de Morfydd, ils ont sauvé la reine et l'ont emmenée en lieu sûr à Bravor, où elle a donné naissance à Céria juste avant de s'éteindre. Le roi leur voue une amitié et une reconnaissance infinies. Au fil des ans, leur bravoure, leur dévouement et leur loyauté les ont propulsés au rang de conseillers stratégiques. Mais le titre qu'ils préfèrent par-dessus tout est celui de parrains de la princesse, qu'ils adorent.

Les deux officiers esquissent un sourire. Albéric Cyprien poursuit son rapport dans le patois typique de son village natal.

— Suitement à l'esbroufe de Morfydd, les généraux se sont mis à trouiller. Trois régiments ont déserté et se sont acoquinés avec le Brutal. Ils sont en chemin vers la Forteresse rouge en ce jour d'hui.

— Ces couards me chambouleversent les tripailles! tonne Aubert Tibaud. Nous pendrons les traistres par les pieds et nous conchierons les tombeaux de leurs aïeux!

— Combien de régiments nous sont-ils toujours loyaux? s'enquiert le roi Adelphe.

— Sept, Messire.

— Qu'attendez-vous pour donner l'ordre de mobilisation? s'insurge Céria. Il faut attaquer maintenant!

— Nous sommes trop peu nombreux, répond le roi.

— Vous abdiquez? Sans combattre?

— Prendre les armes contre les guerriers de Morfydd serait une folie, un suicide. Les troupes ne nous suivront pas dans un combat perdu d'avance.

— Que des lâches!

— Peut-on leur en vouloir?

Céria dévisage son père.

— Vous souhaitez donc que j'épouse cette créature immonde?

— Rien n'est plus éloigné de mon désir.

— Alors, imposez la conscription et appelez aux armes tous les citoyens du Tosmor!

— Votre Altesse, un tel imposement retourneroit la menuaille contre le roi, interrompt Albéric Cyprien.

— Ce seroit la guerre civile, ajoute Aubert Tibaud. Vous l'avez constaté de visou, le peuple n'est point hardi et il déconfiera son allégeance à la famille d'Enguerrand si la menace se fait trop grandement.

— Soit! Si l'attaque n'est pas une option, nous nous défendrons. Laissons venir à nous Morfydd et tenons le siège. Bravor possède suffisamment de vivres pour résister pendant des mois.

Le roi Adelphe se lève. Ses yeux sévères trahissent son exaspération.

— Céria, il faut nous laisser maintenant.

— Vous avez besoin de moi!

Le vieil homme crispe la mâchoire. Après une longue pause, il rétorque en pesant bien ses mots:

— Je regrette amèrement de ne pas t'avoir initiée plus tôt à l'art de la régence et à l'art de la guerre.

— Que mes idées vous déplaisent ne signifie pas qu'elles soient mauvaises, se braque la princesse.

— Morfydd n'assiégera pas la cité. Ses troupes vont survoler la ville à dos de rokh et s'abattre sur nous comme la foudre.

— Pas si nous construisons des arbalètes et des flèches géantes pour les surprendre en vol!

Malgré toute sa bonne volonté, la patience du roi s'étiole.

— Avec quels matériaux produirions-nous de telles armes ? Combien de temps nécessiterait leur construction ? Combien de ces arbalètes pourrions-nous construire à temps avant que Morfydd ne nous envahisse ?

— Je...

— Ça suffit maintenant, nous devons réfléchir.

— Je ne bouge pas d'ici !

Le roi déploie des efforts colossaux pour demeurer calme. Soudain, le regard de la princesse s'illumine.

— Fuyons !

Pantois, Albéric Cyprien, Aubert Tibaud et le roi fixent la jeune femme.

— Abandonnons la ville. Allons nous réfugier dans les Territoires du Nord !

— Je ne veux plus entendre parler des Territoires du Nord ! Quelle lubie ! Personne ne sait ce qui se trouve de l'autre côté de la grande muraille !

Céria se renfrogne. *C'est pourtant la seule solution...*, se dit-elle.

— Messire, je connois un allié capable de fédérer un nombrement suffisant pour appuyer Bravor dans sa lutte, propose Albéric Cyprien.

— À qui songez-vous ?

— Au général Lothar et à l'Alliance du Désert du Sud.

CHAPITRE 14

Angle-sur-Lac

Lia a battu le record de son père! Surexcitée, elle traverse le terrain de parade à la course, le cœur triomphant:

— Maître Tacim! J'ai réussi! Maître Tacim!

La jeune fille entre en trombe dans l'école d'arts martiaux. Elle cherche le vieil homme partout:

— Maître Tacim! Maître Tacim!

Le vieux finaud se déplace comme un fantôme, songe Lia. Après avoir inspecté les salles de classe, les vestiaires et la salle de méditation, la fille du général tourne les talons, puis fonce vers la cour intérieure. Une mèche de cheveux collée sur son front humide obstrue sa vue. À la dernière seconde, elle aperçoit le vieil homme, les mains derrière le dos.

— Maître Tacim, j'ai réussi!

Le vieux sage ignore Lia. Il fixe le lieutenant Berthol et Zaki d'un œil réprobateur.

— J'ai battu le record de mon père!
— Pfff! Impossible, marmonne Berthol.
— Tu traites ma sœur de menteuse?

Maître Tacim lève la main. Les deux jeunes hommes se raidissent, prêts à encaisser le coup. Mais le maître ne les frappe pas.

Que s'est-il passé ici? Le lieutenant et son frère, couverts de poussière, le nez en sang, les cheveux ébouriffés, se tiennent au garde-à-vous, les épaules basses. *Ils se sont battus?* Une dizaine de miliciens en retrait gardent le silence.

— Laissez-moi vous rappeler les paroles de Sun Tzu: « Un souverain digne de ce nom ne lève pas une armée sous le coup de la colère, le véritable chef de guerre n'engage pas la bataille sur un mouvement d'humeur. Il n'entreprend une action que si elle répond à son intérêt, sinon il y renonce. Car si la joie peut succéder à la colère et le contentement à l'humeur, les nations ne se relèvent pas de leurs cendres ni les morts ne reviennent à la vie. »

Zaki se sent honteux. Les paroles du sage frappent plus fort qu'un direct à la mâchoire. Impossible d'atteindre les plus hauts rangs militaires sans une maîtrise parfaite de ses émotions. Une autre leçon...

— C'est tout? Pas de punition? s'exclame Lia. C'est injuste!

Zaki jette un regard torve à sa sœur. Ça lui apprendra à prendre sa défense! Berthol, de son côté, sourit. Il s'en sort à bon compte. Le lieutenant craignait le pire, peut-être même des coups de fouet. Il aura vengé son orgueil à peu de frais.

— Quelle justice crois-tu que je trahisse, Lia? demande Maître Tacim.

— Moi, on me punit toujours... Même quand ce n'est pas de ma faute...

— Selon toi, Zaki et Berthol jouissent d'un traitement de faveur?

Lia acquiesce d'un hochement de tête.

— Connais-tu les faits?

— Euh... Ils se sont battus...

— En es-tu certaine?

— Ils ont une tête de coupable... Et ils saignent du nez!

Maître Tacim marque une longue pause. Dans le ciel, le soleil décline. La journée s'achève. L'ombre du vieux sage déploie sa robe sur les pieds des deux fautifs telle la marée montante d'une mer calme et puissante.

— D'accord, je te laisse déterminer leur sentence.

— Maître, elle ne peut pas faire ça! proteste Berthol. Ce n'est qu'une gamine écervelée! Elle n'a aucun droit sur un officier...

— Taisez-vous, Lieutenant.

— Ouais, taisez-vous, Lieutenant, marmonne Lia.

Les miliciens laissent échapper un petit rire. Berthol les foudroie du regard. Le lieutenant étouffe la rage qui embrase l'air dans ses poumons et qui échauffe le sang dans ses veines. Il tente d'adopter un ton neutre, dénué de hargne:

— Permettez-moi, Maître...

— Plus un mot, Lieutenant. Alors, Lia, que proposes-tu?

Berthol craint la vengeance de Lia. La petite va l'humilier devant ses pairs. Elle va le faire payer pour la punition qu'il lui a infligée. Le lieutenant n'a pourtant rien à se reprocher. Il n'a fait qu'appliquer les règles! Tous les miliciens doivent porter l'uniforme réglementaire. Même la fille du général! À cette pensée, les genoux de l'officier flageolent.

Le général Lothar sera furieux... Dans quelle galère son zèle l'a-t-il entraîné?

Zaki aimerait rappeler à Lia toutes les punitions qu'il lui a évitées, toutes les fois où il a couvert ses bêtises. Et l'Esprit du désert sait qu'elles sont nombreuses! La déception et la colère étranglent Zaki. La trahison de sa sœur écorche l'amour qu'il lui voue. Surtout qu'elle semble prendre plaisir à le punir. Son petit sourire narquois lui arrache l'âme.

Lia s'éclaircit la voix:

— Ce sera un duel!

Berthol aime cette punition, lui qui avait craint la corde ou les coups de fouet. Il pourra donner une bonne raclée à ce jeune prétentieux.

— Avec quelles armes? demande Berthol.
— À mains nues.
— Qui déterminera le vainqueur?
— Maître Tacim, reprend Lia.

Zaki comprend maintenant les intentions de sa sœur. La petite rusée lui offre l'opportunité de démolir ce crétin de Berthol. S'il frappe assez fort sur le côté de sa tête, il réussira peut-être à ramener son œil gauche dans l'axe normal!

— Quelles sont les règles du duel? intervient Maître Tacim.

— Les deux guerriers se font face et se tiennent par la barbichette. Le premier qui rira aura une tapette.

— C'est une blague? s'insurge Berthol.

— C'est n'importe quoi! renchérit Zaki.

— Non, ce sont les règles. Celui qui gagne administre une bonne baffe sur la joue de son adversaire, répond Lia en rigolant.

— Je refuse! Cette punition n'est pas digne d'un officier! Nous ne sommes pas des enfants!

Cette fois, les miliciens s'esclaffent. Leur rire pince l'orgueil de Berthol. La honte lui tord les boyaux. Ce sentiment insupportable assèche sa bouche. Sa langue devient râpeuse, comme ses pensées. Une haine formidable corrode le sang dans ses veines. Zaki sent son cœur se coincer dans sa cage thoracique. Le regard des miliciens, leur sourire supérieur, lacèrent son estime de soi. Ne reste plus qu'à remporter ce stupide duel pour sauver l'honneur.

Maître Tacim esquisse un sourire discret. Cette fille le surprendra toujours.

— Lieutenant, voulez-vous connaître la punition que j'envisageais pour vous? Vous pourrez choisir celle qui vous convient.

Berthol ne répond pas. Son front est blanc, ses traits livides.

— Vous acceptez la punition de Lia ou je recommande votre rétrogradation au rang de sous-officier. Quel sera votre choix?

— La barbichette..., marmonne l'officier.

— Quant à toi, Zaki, préfères-tu être exclu du tournoi?

— Non, Maître.

— Ce sera donc le duel.

Le vieux sage ordonne à Berthol et à Zaki de prendre position, face à face.

— Tenez-vous par le menton.

— Maître, est-ce vraiment...

— Pas un mot.

Mal à l'aise, Zaki attrape le menton du lieutenant entre son pouce et son index. L'officier soupire, puis s'exécute à son tour. Les deux adversaires se regardent maintenant droit dans les yeux. Du moins, droit dans l'œil droit...

— Commencez! exige maître Tacim.

Sous le regard amusé de Lia et des miliciens, Berthol et Zaki entonnent la comptine à l'unisson :

— Je te tiens par la barbichette, tu me tiens par la barbichette, le premier qui rira aura une tapette !

Grâce à la colère, les deux jeunes hommes gardent aisément leur sérieux dans les premiers instants de l'affrontement. Ils plissent le front, froncent les sourcils et serrent les mâchoires. Pas question de perdre, même si l'épreuve est ridicule. Pour demeurer concentrés, les duellistes érigent dans leur tête un barrage de pensées haineuses et violentes destiné à les protéger d'un fou rire. Berthol bat Zaki à coups de poing et à coups de pied. Un scénario semblable accapare l'esprit de Zaki. Les efforts des deux adversaires rendent le spectacle ennuyant pour les spectateurs. Pendant de longues minutes, rien ne se produit. Puis, les pensées de Zaki s'égarent. Tout à coup, le léger frémissement des narines du lieutenant attire son attention. Le jeune homme se répète de ne pas rire. Et surtout de ne pas regarder l'œil gauche de Berthol.

Bientôt, Zaki doit serrer les lèvres encore plus fort. Les pensées violentes s'évaporent. Le rempart se fissure. Il ne reste plus devant lui que ce visage constipé qui s'efforce de ne pas sourire. Berthol peine tout autant à garder son sérieux. Une goutte de sueur s'accumule dans le sourcil droit de Zaki. Berthol la fixe. Elle gonfle. Elle gonfle... Zaki cligne de l'œil. La goutte déborde. Elle roule jusqu'aux lèvres du novice, chatouillant sa peau au passage. D'un petit coup de langue discret, Zaki happe la goutte. L'apparition du petit bout de chair rose rompt le sérieux du visage du garçon.

Parti du ventre, le rire agite les épaules des deux adversaires. Cependant, aucun son n'est émis. Les visages rougissent, mais répriment toujours le sourire fatidique qui provoquerait la défaite. Sous la pulsion du fou rire qui frappe de plus en plus fort sur le diaphragme, les lèvres frémissent. Elles luttent tant bien que mal contre l'émotion. Berthol tente de ramener sa colère en mémoire. Or, le sentiment a disparu; il a été submergé par une envie irrésistible de rire. Zaki crispe le visage pour empêcher l'explosion.

Les deux trognes contorsionnées prennent des allures grotesques. L'image que se renvoient les duellistes augmente d'intensité comique à chaque respiration. Berthol, tout rouge, un œil plissé, l'autre en cavale, les joues frémissantes, les lèvres étirées vers les coins, retient son souffle. Zaki, les cils pleins d'eau, les oreilles rouges, la bouche fermée en trou de cul de poule, tente d'expirer doucement pour ne pas se fissurer.

Qui va abandonner le premier?

— Ha! Ha! Ha! Vous allez exploser! pouffe Lia.

La libération est immédiate. Berthol et Zaki éclatent de rire. Un rire foudroyant comme le son d'une pierre qui se fend en deux. Des larmes coulent sur leurs joues à force de rire. L'hilarité gagne aussitôt les miliciens de même que Maître Tacim. Tous rigolent. Dans cet instant de communion, personne ne se souvient de l'origine de la dispute. Tous oublient l'enjeu, sauf Lia:

— Vous avez tous les deux perdu!

L'espiègle s'avance et administre une baffe aux deux adversaires, puis se sauve à la course.

CHAPITRE 15

Depuis le duel de la barbichette, Zaki en veut toujours à sa sœur. Le lendemain soir après le souper, Lia va le trouver pour la séance d'étirements dans la cour arrière. Zaki appuie le pied droit sur la barre de traction au-dessus de sa tête, la jambe tendue parfaitement à la verticale. Il tient la pose pendant quarante secondes, puis change de jambe. Lia s'installe de l'autre côté ; elle accomplit les mêmes gestes.

— Tu vas bouder encore longtemps ? demande-t-elle.

Zaki garde le silence, les traits contractés par l'effort. Il reprend l'étirement de la jambe droite.

— Tu peux m'ignorer si tu veux, mais je vais parler sans arrêt jusqu'à ce que tu me répondes. Je vais dire n'importe quoi, des tas de trucs. Tiens, savais-tu qu'un oryx peut tuer une hyène avec ses cornes ? Les grandes oreilles du fennec servent à baisser la température de son corps et les poils sous ses pattes le protègent contre la chaleur du sable. Au temps des récoltes...

— J'ai encore des marques de doigts sur la joue..., ronchonne Zaki.

— Avoue que c'était drôle !

— Tu m'as humilié.

— Je voulais t'épargner une punition plus grave.

Le garçon hausse les épaules. Il ne croit pas sa sœur, qui s'offusque :

— C'est vrai !

— Tu voulais te moquer.

— D'accord... Peut-être un peu... N'empêche que t'aurais été exclu du tournoi !

Lia songe à sa propre punition. Son visage s'assombrit. Pourquoi se met-elle toujours dans le pétrin ? Pourquoi a-t-elle ressenti le besoin de sauver ce foutu poulet ? Ses pensées s'emballent.

Zaki interrompt sa réflexion :

— Tu as vraiment battu le record de papa ?

— Ouais, mais il n'y avait pas de témoin... Viens, suis-moi, je veux te montrer quelque chose.

Lia détale aussi vite que lorsqu'elle a giflé le lieutenant et son frère la veille.

— Où tu vas ? Attends !

Après avoir traversé tout le village, Zaki rattrape enfin sa sœur devant la porte sud. Lia observe les allées et venues des commerçants et des paysans. Au coucher du soleil, dans quelques heures, les soldats fermeront les portes du bourg pour la nuit. Les patrouilles arpenteront les alentours et les guets monteront la garde dans les tours.

— Quand j'ai battu le record de papa, j'ai remarqué une oasis au loin.

— Il faut rentrer, maintenant.

— T'as pas envie d'aller voir ?

— T'es folle ! La nuit va bientôt tomber.

— Nous serons de retour avant la fermeture des portes.

— C'est trop loin. On ne voit même pas l'oasis d'ici.

— Par là !

Zaki plisse les yeux.

— Oublie ça ! C'est interdit. On va se faire chicaner.

— Bof ! Je me fais toujours chicaner.

Lia profite de l'entrée d'un paysan traînant trois chèvres derrière lui à l'aide d'une corde pour se faufiler à l'extérieur.

— Lia, reviens!

Zaki pousse un long soupir d'exaspération. Sa sœur n'apprend donc jamais de ses erreurs! La jumelle lui fait signe de venir. Il évite son regard, puis tourne les talons. Une part de lui souhaite partir à la découverte, mais le petit soldat dans sa tête qui régit sa conscience lui ordonne de respecter le règlement. *Elle va encore s'attirer un tas d'ennuis.*

«Merde!» s'écrie le garçon. *Elle ne peut sortir seule. Le soir, les détrousseurs rôdent.*

— Lia, reviens! C'est dangereux!

Lia répond à l'avertissement de son frère par un haussement d'épaules, puis s'éloigne. *Tant pis si Zaki est trop peureux,* se dit-elle. D'un pas rapide, elle fonce en direction de l'oasis, un point flou à l'horizon. Pour ne pas se faire remarquer par les gardes dans les tours, elle emprunte les sentiers des paysans qui coupent à travers les pâturages. Elle salue quelques bergers sur son chemin puis, à la première occasion, elle disparaît derrière une dune. Son seul souci maintenant: éviter les patrouilles. Lia a soif, mais elle n'a pas apporté sa gourde de jus de cactus. Peu importe, elle pourra boire à l'oasis.

Après une heure de marche, la jumelle constate qu'elle n'aura jamais le temps de rentrer avant la tombée de la nuit si elle ne rebrousse pas chemin à l'instant. Que faire? Elle hésite. Son frère a raison. Cette sortie relève de la folie. Elle devrait faire demi-tour. Avec un peu de chance, personne n'aura remarqué son absence.

Or, elle n'a jamais mis les pieds dans une oasis… Son désir de découvrir l'un de ces îlots paradisiaques l'emporte sur son hésitation. Lia jette un coup d'œil vers l'ouest. Le soleil cligne de l'œil, à moitié caché derrière le massif de l'Éternel. Un halo orangé raye le ciel. Elle évalue qu'il reste quarante minutes de clarté au jour. Si elle court, elle atteindra l'oasis en trente minutes.

Lia court.

Après vingt minutes, les effets de la déshydratation commencent à la ralentir. Déglutir lui demande un effort. Comme si elle avalait du sable. Sa gorge se noue. Elle plisse les yeux. De l'autre côté d'une dune apparaît une touffe hirsute de végétation. Son cœur pompe dans ses veines un sang épais comme de la mélasse. Son souffle manque. Soudain, la crainte de faire face à un mirage l'étrangle. Court-elle après une illusion ?

Le soleil va se coucher dans quelques minutes. Que fera-t-elle si l'oasis n'existe pas ? Lia tombe à plat ventre dans le sable encore chaud. Sans liquide, elle va crever... Elle lève la tête. L'oasis est toujours là, au bout de sa vision. A-t-elle reculé ? Son corps refuse de bouger. Ses muscles endoloris se raidissent. La jeune fille se résigne. Quelques minutes de repos, puis elle reprendra son périple. Étendue de tout son long, elle ferme les paupières...

Un bruit, tout près, tire Lia du sommeil. Un spasme secoue son corps. La jeune fille pousse un petit cri de surprise, puis se tourne d'un coup sur le dos. Des milliers d'étoiles illuminent le ciel. Où est-elle ? Combien de temps a-t-elle dormi ? La lune projette une lumière bleue sur le sol. Un léger vent souffle de l'est. Lia se souvient. La marche... L'oasis...

De nouveau, un bruit de glissement attire son attention. Lia se redresse sur les fesses. Ses yeux scrutent la noirceur. La jeune guerrière sort sa dague. *Quelle idiote ! J'aurais dû apporter mon sabre.* Une ombre voile les étoiles. Lia pointe la dague devant elle.

— Qui va là ?

— C'est moi, chuchote Zaki.

— Tu m'as fait peur !

— Ne parle pas si fort.

Zaki s'accroupit au-dessus de sa sœur et lui donne à boire. Lia avale le jus de cactus avec avidité.

— Pas si vite...

— T'en a mis du temps pour me rattraper, se moque la jeune fille entre deux gorgées.

— T'aurais pu te déshydrater et perdre connaissance.

— Je savais que tu viendrais.

— Je suis retourné à la maison chercher nos gourdes.

— Papa et maman t'ont vu ?

— Non, je suis passé par l'arrière.

Lia boit une autre longue gorgée.

— Tu nous as foutus dans un méchant pétrin, reprend Zaki après une pause.

— Je dirai que c'est ma faute, t'auras le beau rôle, t'en fais pas...

— Je ne parle pas de la punition que papa va nous infliger. Regarde.

— Où ?

— Là-bas.

Lia se tourne vers l'oasis. Quel bonheur, elle n'a pas disparu! Ce n'était donc pas un mirage.

— C'est l'oasis, prononce Lia.
— Entre les arbres.

Une lueur jaune danse au travers des branches.

— Un feu?
— Des détrousseurs, répond Zaki.
— Merde!
— Allez, on rentre avant qu'ils nous aperçoivent.
— Pas question!
— Ne parle pas si fort.

La frustration empoigne Lia aux tripes. Tout ce trajet pour rien? Elle veut plonger la tête dans une source d'eau fraîche, elle veut sentir des fleurs. Ce ne sont pas quelques brigands qui vont l'en empêcher.

— T'as apporté ton sabre? demande-t-elle à son frère.
— Tu n'as pas le tien?
— Passe-le-moi, puis rentre à la maison.
— T'es débile, ou quoi?

En colère, Lia lance une poignée de sable en direction de l'oasis.

— D'accord, je n'ai pas besoin de ton sabre.

— Fais pas l'idiote, rentrons à la maison.

Lia se laisse choir sur le dos.

— Zaki, pourquoi tu m'empêches toujours de faire des bêtises?

Le garçon s'étend à côté de sa sœur. Les deux admirent le ciel étoilé. Bientôt, leur souffle frissonne dans l'air froid. La température chute, mais ils se sentent bien. Zaki sourit dans le noir. Lia l'étonnera toujours. Son esprit fulgurant, sa volonté farouche et sa joie de vivre la propulsent droit devant. Peu importe les conséquences! Malgré les écueils auxquels elle se bute parfois, il envie sa capacité à vivre sans décalage, à fond dans l'instant présent. Cet abandon inaccessible le taraude. Sa conscience à lui ne prend jamais de repos. Comme un œil au-dessus de la mêlée, sa raison implacable le surveille et guide ses actes. Zaki souhaiterait aussi lâcher son fou. Les sages parlent de discipline, de maîtrise de soi. Est-on vraiment sage quand on ne peut faire autrement?

— Papa dit que nous sommes les seuls jumeaux du royaume. Tu crois que c'est vrai? demande Lia après une longue contemplation.
— Il veut qu'on se sente spéciaux.
— Hum... Alors, pourquoi sommes-nous si différents?

— Sais pas...

Lia serre la main de son frère dans la sienne. Quand le sang dans ses veines bout, quand son cerveau entre en éruption, la présence de Zaki l'apaise. Pas toujours dans l'immédiat, mais tout en douceur, comme un baume sur une plaie.

— Regarde, reprend-elle, j'ai trouvé deux étoiles jumelles. Celle de gauche, c'est moi, l'autre, c'est toi. Elles sont inséparables. Pour l'éternité.

— T'es drôle.

— Je suis heureuse que tu sois là.

À quelques pas de distance retentit une voix puissante de ténor:

— Mirez-moi ces gentils jouvenceaux!

CHAPITRE 16

Désert du Sud

Lia se cambre. Elle tente de bondir sur ses pieds, mais une botte appuyée sur sa gorge l'écrase au sol. Un étranger se dresse au-dessus d'elle. Il porte une longue moustache effilée et une petite barbe en triangle sur le menton. Son sourire trace un trait rosé sous son nez aquilin et une vilaine cicatrice zigzague sous son œil droit. Lia gigote et cogne les jambes de son agresseur avec ses poings pour se libérer. D'un mouvement prompt, Zaki se lève, puis dégaine son sabre. Un deuxième homme, surgi de l'ombre, le frappe derrière la tête avec le pommeau de son épée. Zaki s'effondre.

L'homme à la cicatrice relâche la pression sur la gorge de Lia, qui peine à respirer:

— Jeune damoiselle, vous ne trouillez point d'aller ainsi à la brune?

— Je vais vous tuer!

— Ha! Ha! Ha! Oyez cette petite dame pleine d'espoir!

Lia crache en direction de l'étranger, mais le crachat monte sans atteindre sa cible, puis lui retombe en plein visage. L'acolyte du balafré, un rouquin au visage rond et au menton fuyant, se penche au-dessus de Lia. Son haleine empeste le lait fermenté.

— Fillote, ne vous apprend-on point, dans vostre contrée, les adages des anciens? Quand le gueux crache en l'air, le crachat lui retombe sur le pif!

Les deux hommes rigolent. Lia cherche sa dague de la main. Elle se tord comme un asticot sur un morceau de viande avariée. Ses pieds volent dans les airs, ses bras battent le sol.

— Combative! constate le balafré.

Les deux compères ligotent et bâillonnent Zaki et Lia, puis les traînent avec effort jusqu'à l'oasis. À force de se débattre, Lia creuse un sillon dans le sable derrière son ravisseur.

— Cessez de hurler, gente damoiselle! Vous allez ameuter tous les brigands du royaume.

Zaki, à ses côtés, reprend ses esprits. Le jeune garçon serre les poings. Il veut prendre une position de combat, mais ses mains et ses pieds sont attachés. Qui sont ces hommes? Que leur veulent-ils? Les questions restent coincées dans sa bouche entravée par un mouchoir qui goûte la sueur. Un haut-le-cœur secoue son corps.

— Le damoiseau va dégobiller! s'écrie l'homme à la tignasse rousse, s'empressant de détacher le bâillon de Zaki pour éviter qu'il ne s'étouffe.

L'estomac de Zaki se contracte, puis pousse un jet granuleux qui explose en geyser hors de sa bouche. La substance jaunâtre éclabousse les bottes du rouquin.

— Je venois tout juste de cirer mes bottes... Hum!

— Libérez-nous sur-le-champ! exige le garçon.

— Point si fort, je vous prie.

— Je ne le répéterai pas! Libérez-nous!

Un craquement retient l'attention des deux hommes. Le bruit provient de l'autre côté de l'étang, derrière une talle de bouleaux, dernier vestige de l'ancienne végétation boréale qui survit de peine et de misère dans les oasis, mélangée aux cactus et aux palmiers.

Sabre au poing, les deux ravisseurs s'avancent lentement vers l'étang. Lia et Zaki se sont tus. Un léger vent agite les branches. Le balafré s'accroupit au-dessus d'un feu éteint. Il plonge la main dans les cendres encore chaudes. Ce test lui confirme la présence récente de voyageurs. Des ossements de petits rongeurs jonchent le sol.

Soudain, une dizaine de détrousseurs surgissent des bois. Ils sont armés de lances, de haches et de sabres. Une sale bande de rapaces tatoués de la tête aux pieds, arborant des anneaux dans le nez et dans les oreilles. Leurs yeux rouges étincellent dans la nuit. Aussitôt, ils encerclent leurs proies. Comme des animaux, ils grognent en découvrant leurs gencives cramoisies et leurs dents acérées. Ce spectacle cauchemardesque paralyse Lia et Zaki, qui ont entendu toutes sortes de récits d'épouvante concernant ces chacals aux allures humaines.

— Gentilshommes, parlementons..., propose le balafré d'un air narquois.

Les hommes-chacals lèvent la tête au ciel et se mettent à hurler.

— Ces braves gens ne semblent point d'humeur à converser, ajoute le rouquin.

— Soyons de bonne compagnie et acceptons leur invitation à la giguedouille.

L'homme à la cicatrice saisit le sabre qu'il a confisqué à Zaki, puis le lance au garçon:

— Jeunes gens, si vous tenez à la viande autour de vos os, maintenant seroit le bon moment pour nous souhaiter la bonne nuitée et prendre la poudre d'escampette.

Le sabre tombe tout près du jumeau qui se jette sur le côté, roule sur lui-même, puis récupère l'arme avec ses mains attachées derrière le dos. Il se met aussitôt à couper les liens garrottant les poignets de sa sœur.

Les chacals referment le cercle. Les deux voyageurs se placent dos à dos.

— Que suggérez-vous, mon cher? demande le roux.

— Je propose de trucider ces sales trognes prestement.

— À la bonne heure!

D'un trait de sabre dans l'abdomen, l'homme à la tignasse carotte libère les entrailles de la créature devant lui. L'amas de tripes visqueuses glisse sur le sable malgré les tentatives maladroites du chacal pour les remettre dans son ventre.

— Ce maroufle ne manque point de courage, raille-t-il. On dira de lui qu'il se battoit avec ses tripes !

Le balafré esquive une lance. La pointe déchire sa djellaba à la hauteur de l'épaule droite. Il pivote, lève la jambe, puis abat son talon sur le crâne du fauve aux yeux exorbités qui fonce sur lui. Le bruit mat des vertèbres qui craquent détourne l'attention d'une autre horrible bête qui brandit une hache dans chaque main. L'homme en profite pour l'assommer d'un direct en pleine mâchoire. La bête s'immobilise. L'animal plie les genoux, puis tombe à la renverse. Le gaillard se penche sur le corps inanimé, ramasse l'une des haches et l'utilise pour fendre la tête du chacal.

De l'autre côté, le rouquin bloque les coups répétés de ses assaillants à l'aide de son sabre. Des étincelles jaillissent du choc des lames. Au corps à corps, il fracasse le nez d'une des créatures avec sa tête. Le sang gicle. D'une main, il lui attrape le poignet et lui tranche le bras en haut du coude. Par réflexe, il bloque ensuite le coup de hache d'un autre attaquant avec le membre sectionné de son ennemi. Du pied, il le projette par terre et l'achève en le frappant en alternance avec son sabre et le bras coupé.

Au même moment, le balafré reçoit une roche sur la tempe. Il vacille. Un éclair noir traverse sa vision. Les chacals lancent un lourd filet sur son dos. Ses mouvements sont entravés. N'arrivant plus à bouger, il s'écroule. Tout près, trois autres chacals se jettent sur le roux. L'une des créatures lui mord la nuque et lui arrache un morceau de chair. L'homme pousse un cri de douleur.

— Ahhhhhh! Peste soit de ces bestes immondes qui feront ripaille de nostre viande. Je tiens pour espérance qu'une violente indigestion les mortisse, prononce le malheureux, les mâchoires serrées, en s'écrasant au sol à côté de son compagnon.

Au moment où un chacal va transpercer le cœur du balafré avec une lance, une lame traverse la trachée de la bête, qui émet un son rauque. La lame disparaît, puis le corps bascule vers l'avant. Derrière se tient Lia, les yeux enflammés. À ses côtés, Zaki projette son sabre en pleine poitrine du chacal qui retient l'homme à la cicatrice sous le filet. Les quatre derniers charognards se séparent et foncent deux par deux sur Lia et Zaki. La jeune fille glisse sur le côté et taillade au passage le tendon d'Achille de l'un des deux barbares, qui poursuit sa course de quelques pas avant que sa cheville ne se disloque. Ses jappements claquent dans l'air comme des coups de fouet. Son visage déformé par la douleur se crispe en une grimace tordue.

De nouveau sur ses pieds, Lia esquive l'attaque de l'autre aboyeur qui fonce sur elle avec une lance. La pointe passe à un millimètre de son oreille gauche, faisant tinter au passage sa boucle d'oreille. Une coquetterie que désapprouverait le lieutenant Berthol... La jeune fille décoche un coup de pied sur le manche de l'arme, puis un deuxième sous le menton du chien enragé. L'impact fait éclater les incisives centrales du carnassier. Lia l'achève en lui tranchant la gorge.

Pendant ce temps, Zaki est coincé entre deux autres chacals. Il retire son sabre du poitrail de sa dernière victime puis, d'un bond, le fiche de travers dans l'épaule de la bête devant lui. Il se retourne, saisit sa dague dans sa ceinture et transperce le dernier démon. Le poignard découpe un demi-cercle dans l'abdomen de la bête, lui perforant la rate et le foie.

Le calme revient dans l'oasis. Seul gémit encore le chien à la cheville rompue qui se traîne en direction d'un sabre abandonné. Le rouquin pulvérise son crâne avec une lourde pierre. Le son des os brisés rappelle le coassement d'une grenouille géante.

Les deux jumeaux, haletant, le cœur tambourinant dans la poitrine, se regardent, ébahis. Leurs yeux expriment un mélange de stupéfaction et d'immense fierté. Ils ont terrassé de leurs propres mains une demi-douzaine de chacals, ces rapaces cannibales craints par tous les voyageurs du désert. Mais tous les dangers ne sont pas écartés.

Lia se précipite sur Poil de carotte et le menace avec son sabre.

— Qui êtes-vous? demande-t-elle.

— Mortecouille, je déduis de vostre prouesse, jeunes gens, que vous n'estes point des paysans égarés, répond l'homme.

À quelques pas de distance, Zaki observe le balafré qui se débat sous le filet.

— Un peu d'assistance de vostre part seroit fort à propos, jeune damelot.

— Qui êtes-vous? reprend Lia.

— Des marchands, répond-il, enfin dégagé du filet.

— D'où venez-vous?

— De la cité royale de Bravor.

— Vous ne transportez aucune marchandise, remarque Zaki, soupçonneux.

— On ne peut rien vous dissimuler, cher damoiseau.

— Où allez-vous?

— Nous apportons une missive au général Lothar.

— Quel genre de missive?

— Le genre de missive qui, je crains, ne se remet qu'au général en personne.

— Concernant le Tournoi des Guerriers? enchérit Lia, une étincelle dans les yeux.

Les deux voyageurs sourient.

— Vous y participerez, gente bachelette? questionne l'homme à la cicatrice.

Zaki jette un regard sévère à sa sœur. Elle parle trop.

— Vous estes des miliciens d'Angle-sur-Lac? Des novices?

Les jumeaux se taisent. Doivent-ils faire confiance à ces deux lascars au dialecte étrange?

— Trêve de cachotteries, je me présente: Albéric Cyprien, émissaire du roi Adelphe d'Enguerrand. Voici mon compatriote, Aubert Tibaud.

— Pour vous servir, ajoute le rouquin en appliquant de la pression sur sa nuque pour arrêter le saignement.

Aubert Tibaud déchire un bout de sa djellaba et l'attache comme un foulard autour de son cou en guise de pansement. Il se tourne ensuite en direction de Lia et de Zaki :

— La soif ne vous tenaille-t-elle pas ?

D'un geste machinal des doigts, Lia essuie les commissures de ses lèvres asséchées, le regard dirigé vers l'étang.

— Ne bougez pas ou je vous zigouille ! ordonne-t-elle, pointant toujours son arme sur Aubert Tibaud. Zaki, va boire tandis que je garde à distance ces deux guignols.

— Zaki ? Vous savez, le fils du général Lothar se nomme Zaki...

— Taisez-vous ! coupe Lia.

Le jumeau s'avance et plonge la tête dans l'eau fraîche.

— À mon tour ! s'écrie Lia, impatiente d'éteindre l'incendie dans sa gorge.

À Angle-sur-Lac, l'eau potable provient de puits profonds qui tarissent après quelques saisons. L'eau qu'on y puise, en petite quantité, doit être filtrée et bouillie. Malgré tout, son goût demeure terreux. On l'utilise surtout pour la cuisson des aliments et pour les soupes. Pour survivre à la chaleur et à la déshydratation, les villageois boivent du jus de cactus, un liquide âcre et huileux, difficile à recueillir. Les villages qui sont près d'une oasis peuvent s'y ravitailler, mais les excursions dans le désert demeurent toujours périlleuses et commandent un important déploiement de troupes. Trop souvent, les sources qui alimentent les oasis sont trop ténues et ne permettent pas un approvisionnement récurrent.

La tête dans l'étang, Lia sent le doux liquide revigorer son corps. *Une potion magique,* pense la jeune fille en retirant la tête de l'eau.

— Donne-moi ta gourde, ordonne-t-elle à son frère.

Zaki passe la bandoulière par-dessus sa tête et lance la gourde à sa sœur. Lia vide le reste de jus de cactus dans le sable, puis remplit le sac d'eau.

— Il faudra revenir! s'enthousiasme la jeune fille. Que faites-vous? Pas un geste!

Albéric Cyprien s'est approché de son compère et lui a passé une corde autour des poignets.

— Nous sommes vos captifs, déclare-t-il.

CHAPITRE 17

Angle-sur-Lac

Le front ruisselant de sueur, le souffle court, le général Lothar entre chez lui. Deux soldats l'accompagnent. Azara, qui l'attendait, morte d'inquiétude, se précipite vers son mari :

— Vous les avez retrouvés ?

— Nous avons cherché partout dans le village, sans succès. J'espérais qu'ils seraient rentrés...

Azara répond par un léger hochement de tête empreint d'angoisse.

— Je pars en patrouille dans le désert, ajoute Lothar.

— Seul ?

— Avec ma garde rapprochée.

Azara embrasse son mari. Si ses enfants n'avaient pas été impliqués, jamais elle n'aurait accepté sans protester que Lothar sorte ainsi en pleine nuit.

Les dangers encourus dans le désert sont trop redoutables, trop nombreux.

— On cherche peut-être à t'attirer dans un guet-apens, prévient-elle.

— Je serai prudent.

Au moment où le général s'apprête à franchir la porte, Azara bondit vers lui et le retient par le bras.

— Lothar?

— Oui?

— Quand comptes-tu leur révéler la vérité sur leur identité? Ils doivent savoir...

— Après le tournoi. Une fois qu'ils auront prouvé leur valeur.

***

Désert du Sud

Le général et sa garde rapprochée, formée de six cavaliers, ont quitté le village depuis une trentaine de minutes. Malgré la lune, on ne voit qu'à quelques mètres devant soi. Même les chevaux semblent nerveux. Le général tend l'oreille, à l'affût du moindre bruit. Ses yeux scrutent la noirceur.

— Regardez, Général.

Lothar saute en bas de sa monture. Devant lui, des traces de pas bifurquent dans le sable. Elles quittent le sentier vers l'ouest.

— Suivons-les, commande-t-il.

La température continue de baisser. Lothar observe le désert afin d'y découvrir un point lumineux qui trahirait la présence de voyageurs attroupés auprès d'un feu. Rien. La nuit encercle l'horizon.

La troupe marche pendant deux heures à tâtons dans le noir.

Au sommet d'une des nombreuses dunes modulant le paysage du désert, Lothar perçoit des voix. Une voix de fille. Des voix d'hommes.

Le général descend de son cheval, imité par ses gardes. Tous dégainent leur sabre. Les voix s'approchent. Lothar fait signe à ses soldats de se disperser de manière à prendre le groupe par surprise sur trois fronts. Mais avant de passer à l'attaque, il souhaite mieux évaluer l'ennemi. Qui affronteront-ils ? Des détrousseurs ? Des miliciens ? Des chacals ? Lothar s'avance pour mieux voir.

Soudain, dans la lumière bleutée de la lune, apparaissent deux silhouettes familières traînant deux prisonniers derrière eux.

— Lia? Zaki?

Un silence frappé de stupeur répond à l'interrogation du seigneur de guerre.

Lothar et son groupe bondissent hors de l'ombre. Ils entourent les jumeaux, puis projettent les prisonniers au sol sans ménagement.

— Laissez-moi vous expliquer, prononce Lia d'une voix qui déraille.
— Tais-toi!

Lothar appuie la lame de son sabre sur la gorge de l'un des prisonniers.

— Père, arrêtez! s'écrie Zaki.
— Je suis déçu, mon fils.

Le général baisse le regard sur le prisonnier et contracte les muscles de son bras, prêt à trancher le cou de l'inconnu.

— Ce sont Cyprien Tibaud et Albéric Aubert de la cité de Bravor! interrompt Lia en se précipitant aux pieds de son père.
— Albéric Cyprien, corrige le moustachu d'une voix râpeuse, la lame coinçant sa trachée.
— Et moi, Aubert Tibaud, renchérit son compère.

Lothar retient son geste.

Le général reconnaît les deux émissaires du roi Adelphe. Plusieurs années ont passé, mais les deux officiers, quelques rides et cheveux blancs en plus, n'ont pas changé. Lothar ordonne à l'un des soldats de détacher les deux hommes.

— Père, vous les connaissez? demande Lia.
— Poil de coquefredouille! Vous possédez une bien vaillante géniture, Seigneur Lothar.
— Bien désobéissante, vous voulez dire.

Un reflux de colère serre l'estomac de Lothar, qui jette un œil sévère sur ses enfants. Le désir irrésistible de se justifier emporte Lia:

— J'étais en haut de l'échafaud; j'ai vu l'oasis; je voulais boire de l'eau fraîche...
— Assez! Il faut quitter le désert. Tout ce bavardage nous met en danger.

***

Angle-sur-Lac

Lothar sert une coupe de vin à ses hôtes. La première fois qu'ils ont trinqué ensemble remonte à la signature du traité de paix entre le plateau du Tosmor et l'Alliance du Désert du Sud. Albéric Cyprien et Aubert Tibaud avaient été dépêchés par le roi Adelphe pour s'entendre avec Lothar sur les termes d'une paix durable. Adelphe cherchait à consolider ses acquis pour mieux contrer la menace des hordes nomades et des peuplades belliqueuses des savanes de l'Aridonie. Le souverain connaissait Lothar de réputation. On le disait honnête, raisonnable et sage, mais impitoyable sur le champ de bataille. Ses exploits militaires confirmaient ses aptitudes. Adelphe jugeait qu'il serait aisé de s'entendre avec un homme tel que Lothar puisqu'ils partageaient le même désir de paix. Tout au moins, il espérait le convaincre que la stabilité de la région dépendait d'une entente commune. Depuis, dix ans ont passé sans heurt entre les deux signataires.

Épuisée par les événements de la journée, Azara annonce qu'elle va se coucher.

— Que la nuitée berce vos songes, lui souhaite Albéric Cyprien en inclinant la tête en signe de respect, imité par son fidèle compagnon.

Lothar accompagne son épouse jusqu'à la chambre matrimoniale, dépose un baiser sur ses lèvres, puis retourne auprès de ses invités.

Dans leur chambre, tout au fond du corridor, les enfants tendent l'oreille, curieux d'entendre le message du roi Adelphe.

— L'ami, acceptez ce modeste présent pour festoyer nostre revoyure, lance Albéric Cyprien.

Le Bravorois tend au général une bouteille de bourbon.

— Au miel ?

— Importé des apicultures de Brédor à la frontière des savanes de l'Aridonie et des Territoires du Nord.

— Vous n'avez donc pas fait tout ce chemin pour rien ! Buvons !

Les trois hommes vident d'un trait leur verre de vin, puis Lothar ouvre la bouteille de bourbon. Il verse le liquide doré à ses invités.

— Longue vie au roi Adelphe ! proclame Lothar.

— Longue vie au roi ! répètent Albéric Cyprien et Aubert Tibaud.

Le général distribue une nouvelle rasade.

— Éclairez-moi, maintenant. Comment Albéric Cyprien et Aubert Tibaud, les vaillants chevaliers de l'Ordre des Enguerrand, rompus à la stratégie militaire et aux arts martiaux, ont-ils pu être vaincus et faits prisonniers par deux novices ?

Albéric siffle son verre.

— Versez-moi derechef de cette eau-de-vie gouleyante, je vous prie.

Lothar remplit aussitôt son verre.

— Quelle malaventure! Soyez fier, mon Seigneur. Vos preux jouvenceaux ont estrillé ces diablotins de chacals violentement.

— Vos hardis bessons mesttront en pièces tous leurs adversaires au tournoi des guerriers de Bravor et je serai aux premières loges pour mirer leurs exploits, enchérit Aubert Tibaud.

— Ils ne participeront pas au tournoi, coupe Lothar.

Lia et Zaki se dressent sur leur séant, les yeux écarquillés dans la pénombre. Lothar poursuit:

— Un guerrier doit d'abord apprendre à obéir. Leur désobéissance m'indique qu'ils ne sont pas prêts à rallier la milice.

Lia se précipite dans la cuisine.

— Père, tout est de ma faute. Zaki n'y est pour rien.

— Tu écoutais notre conversation? fulmine le général.

— Punissez-moi, mais n'empêchez pas Zaki de participer au tournoi. Il s'est entraîné si dur!

— N'aggrave pas ton cas, Lia. Retourne au lit.

Faisant irruption à son tour dans la pièce, Zaki prend la défense de sa sœur:

— Lia mérite de représenter le village au tournoi. Elle a battu votre record!

— Ça suffit!

Lia et Zaki craignent d'avoir dépassé les bornes. Le général se lève. Son corps immense se déplie au-dessus d'eux. Ses sourcils annoncent l'ouverture de la porte des enfers. Leur père, qui ne se fâche jamais, semble sur le point d'entrer en éruption. Les veines de son cou doublent de diamètre. Une barre rouge traverse son front plissé. Les muscles de ses mâchoires se crispent. Ses dents grincent.

Frondeuse, Lia avance d'un pas. Le reflet dans ses yeux renvoie au général l'image de sa colère. L'effet de surprise porte. Lothar s'immobilise. Ses muscles se détendent. Son rire, un coup de canon, ébranle la nuit.

— De combien? demande le général, fixant sa fille.

— Hein?

— De combien as-tu battu mon record?

— D'une montée.

— Des témoins?
— Personne...
— Pourtant, ton frère confirme ta prouesse.
— Il n'était pas présent.

Lothar se tourne vers son fils:

— Me mentirais-tu pour protéger ta sœur?
— Oui, père, sans hésitation. Mais cette fois-ci, c'est vrai, elle a battu votre record.
— Ton frère a confiance en toi.

Lia jette un regard rempli de gratitude en direction de Zaki.

— Tu penses que ton exploit rachète tes bêtises? Que ta prouesse t'octroie une participation au tournoi? reprend le père des jumeaux.
— Je veux juste que Zaki ne soit pas pénalisé à cause de moi.

Le général avale une gorgée de bourbon. Il repose le gobelet sur la table, puis prend une pause pour réfléchir. Après un long silence, les traits durs de son visage se détendent.

— D'accord, Zaki pourra participer au tournoi.
— Et Lia? s'inquiète Zaki. Je ne participerai pas si Lia est exclue!

Contrarié, Lothar serre les mâchoires. L'effronterie de ses enfants gruge sa patience. L'envie le démange de couper court aux discussions et d'envoyer les jumeaux au lit, mais il se ravise:

— Eh bien, laissons nos invités trancher votre sort, répond Lothar. Qu'en dites-vous, Albéric?

— J'en dis que sans l'intervention providentielle de ces jeunots, les chacals nous auroient occis. Ils feroient ripaille en cette heure mesme avec nos triperies. Une bien mauvaise pitance, j'en conviens...

— Plus tôt, vous vous enquerriez du comment des novices avoient pu capturer des chevaliers de l'Ordre des Enguerrand, intervient Aubert Tibaud. Laissez-moi vous raconter nostre palpitante veillée dans le désert.

Aubert Tibaud se verse un nouveau verre de bourbon, puis se lance dans le récit des aventures de la nuit, qu'il intitule, dans sa langue toujours aussi colorée, *Les aventures hardies des bessons célestes.* Il relate tous les événements depuis la conversation entendue entre les jumeaux admirant le ciel étoilé jusqu'à la roche écrasant le crâne du dernier chacal.

— Enfin, la seule manière de vous prouver nostre bonne foi consistoit à accepter d'estre vos prisonniers, conclut Aubert Tibaud, fixant Lia et Zaki.

— Angle-sur-Lac ne sauroit débusquer plus preux guerriers que ces jouvenceaux, ajoute Albéric Cyprien.

Lothar garde le silence pendant une minute. Une minute lourde et affligeante aux allures infinies.

— Un guerrier doit apprendre à obéir... Mais, plus important encore, il doit être prêt à se sacrifier pour les siens. Votre loyauté l'un envers l'autre m'enorgueillit. J'accepte, finit-il par dire. Vous participerez au tournoi.

— Tous les deux ? demande Zaki.

Lothar acquiesce de la tête.

— Allez vous coucher, maintenant.

Les deux jeunes obéissent sur-le-champ. Ils saluent les invités et se sauvent aussitôt.

Lothar et les deux émissaires reprennent leurs libations. Bientôt, la bouteille de bourbon est vide et le matin pointe à l'est. Les trois hommes rigolent de bon cœur. Pendant une soirée, ils ont suspendu le temps, comme si rien autour n'existait plus. Tel est le pouvoir des bonheurs éphémères. Dans quelques instants, le coq chantera et rompra la magie. La bulle éclatera, dévoilant l'arrivée d'une nouvelle journée.

— Mon cher Lothar, outre le plaisir de vous revoir, une mission diplomatique motivoit nostre visite, annonce Albéric Cyprien, les traits soudain tendus.

— J'en suis bien conscient. On ne traverse pas le désert par loisir.

— Un grand malheur guette la cité royale de Bravor, enchérit Aubert Tibaud.

— Morfydd le Brutal va épousailler la princesse Céria lors de la cérémonie de closture du Tournoi des Guerriers.

— Hum... Le roi Adelphe donne sa bénédiction à cette union ?

— Nostre bon roi pisse sur cette union.

— Je vois. Qu'attendez-vous de moi ?

— Nos troupes sont divisées. Morfydd a jeté une grande frayeur sur la menuaille lors de son passage à Bravor. Sa démonstration de force a non seulement fait trouiller les citadins, mais tourné plusieurs régiments contre Adelphe. Les traistres – bande de boursemolles ! – ont fui et ont rejoint les rangs des Guerriers du feu.

Aubert Tibaud baisse la tête. Albéric Cyprien fixe le mur à la droite du général.

— Continuez, insiste Lothar.

— Vous connoissez les Mandrills rouges, ces créatures mi-hommes mi-singes ?

Lothar opine de la tête. Albéric poursuit :

— Morfydd a monté une armée d'élite formée de ces horribles bestes.

— Il y a pire, ajoute Aubert Tibaud. On ne sauroit dire par quel charmement, mais Morfydd a donné vie aux oiseaux de la foudre.

— Les rokhs ? Ce n'est qu'un mythe !

— Un mythe vrai comme la mortaille est le destin de tout homme. J'ai miré l'un de ces démons occire un fantassin et se repaistre de sa cervelle. Ces rapaces immondes servent de montures ailées aux Mandrills rouges. Déjà, le Brutal a conquis tous les bourgs à cent lieues de la Forteresse rouge, recrutant comme mercenaires moult maroufles, houliers et fols dingos et convertissant les prisonniers en Guerriers du feu. Son armée grandit de jour en jour.

— Vous croyez que le monstre vise la conquête du royaume ? demande Lothar.

— Assurément. Son mariage avec l'héritière du trône des Enguerrand légitimera son futur règne.

— Je ne me joindrai pas à vos troupes, tranche le général sur un ton résolu.

— Mortecouille, nous avons signé un traité, Lothar ! s'exclame Albéric Cyprien.

— Un traité de paix, non pas une alliance militaire. Adelphe lui-même a refusé de rallier l'Alliance du Désert du Sud.

— Ne soyez pas de mauvaise foi, Général. Vous savez très bien quel roi vous serviriez si le royaume étoit uni.

— L'âge d'or de Hudor est derrière nous. Le royaume dont vous parlez n'existe plus. À peine subsiste-t-il dans l'imagination d'un vieux rêveur nostalgique d'une époque perdue.

— La menace, Lothar, pèse sur vostre bourg autant que sur tous ceux du royaume.

— Trop longtemps Adelphe s'est complu dans la diplomatie. Ses troupes se sont avachies. Ses officiers sont mollassons; les soldats, peu disciplinés. Depuis quelques années, ses armées ne combattent plus que des hordes désorganisées de nomades. Tous les traités de paix signés avec les villages voisins ont pourri la capacité à se défendre du Tosmor. Je ne peux m'engager auprès d'un allié aussi faible. Je ne sacrifierai pas la sécurité de mon peuple pour voler au secours d'un souverain en déclin.

— Alors, autant se vaut d'offrir un agneau à un loup. J'ai vu les Mandrills rouges à l'œuvre. Morfydd destruira Bravor avant les vêpres le jour où il déclenchera les hostilités. Le roi Adelphe a besoin de l'Alliance du Désert du Sud.

— Désolé, j'enverrai à Bravor seulement les guerriers qui participeront au tournoi.

— C'est vostre décision?

— C'est ma décision.

— Alors, trinquons aux épousailles de Morfydd le Brutal et de Céria d'Enguerrand! ironise Albéric Cyprien, levant son verre bien haut.

CHAPITRE 18

Cité royale de Bravor

Une dame d'honneur ajuste la couronne sur la tête de la princesse qui observe en silence sa silhouette dans le miroir. Céria a perdu du poids. Elle flotte dans sa robe de mariée. Depuis plusieurs jours, elle ne mange presque rien. Quelques dattes accompagnées de lait de chèvre et de fromage suffisent à remplir son estomac noué par l'angoisse. La dame d'honneur évite son regard. Le sacrifice auquel doit consentir la princesse pour le bien de son peuple la touche. Elle compatit avec sa maîtresse. Ce mariage sera malheureux. Impossible qu'il en soit autrement. Mais le peuple aura la vie sauve. Des milliers d'enfants, de femmes et d'hommes pourront vivre en paix. À cette pensée, la servante éprouve de l'admiration pour le courage et la dévotion de Céria.

— Prévenez mon père que je ne dînerai pas avec lui ce soir.

— Bien, Votre Majesté.

— Laissez-moi, maintenant.

Une fois seule, Céria se dévêt. Elle retire la robe de mariée avec fougue, comme si elle lui brûlait la peau. En sous-vêtements devant le miroir, elle palpe ses côtes saillantes. Ses cuisses et ses bras amaigris lui confèrent une apparence frêle. *Je dois me ressaisir,* songe Céria. Le jour de mes noces, je devrai me montrer forte. La jeune femme fixe son regard dans le reflet. La peur a creusé ses traits. Elle appuie son front contre la glace. Un éclair mauvais traverse ses prunelles. La colère rougit ses joues. Elle recule d'un pas, puis crache sur son image.

Le tournoi approche. Bientôt, Morfydd se tiendra debout à ses côtés pour célébrer leur union matrimoniale et sa conquête du Tosmor sans avoir eu à livrer un seul combat. *Les militaires de ce royaume sont des pleutres*, se *révolte Céria. Et ce général légendaire, ce Lothar dont on vante tant les exploits, est le plus lâche d'entre tous! Même mon père cède et m'abandonne. Il me livre au Brutal comme une simple brebis. Le moyen qu'il a trouvé pour maintenir la paix est le sacrifice de ma dignité...*

Céria ramasse la dague sur la table à côté du miroir et se tourne face au mannequin dénudé. La robe de mariée gît par terre. Elle la balaie d'un coup de pied, puis enfonce la dague dans le cœur de bois du mannequin. Elle retire l'arme, puis recommence. Encore! Et encore! Elle frappe le poitrail avec fureur, sans arrêt, en poussant des cris de haine. Des éclats de bois volent tout autour. À bout de souffle, la princesse baisse les bras. Sa poitrine se soulève à chaque respiration. Les cheveux collés sur le front par la sueur, les yeux courroucés, elle fixe le trou profond qu'elle a taillé à la place du cœur.

La porte de la chambre s'ouvre brusquement. Le roi Adelphe apparaît dans le cadre, stupéfait devant l'image de sa fille en sous-vêtements, dague au poing.

— J'ai entendu des cris...

Céria se retourne lentement. Ses lèvres pâles, tendues comme deux fines cordes par la colère, déforment ses traits. La dureté de son regard fige le souverain.

— Ma chérie, ça va ?

La princesse arrache un drap du lit et le passe par-dessus ses épaules.

— Vous devriez frapper avant d'entrer.
— Pardon...
— Ça n'a pas d'importance.
— Si tu préfères, je reviens dans quelques minutes.
— Entrez, coupe sèchement Céria.

Adelphe s'approche.

— Ton état de santé m'inquiète. Tu n'as presque rien avalé depuis une semaine... J'aimerais que tu dînes avec moi ce soir.

— Tous vos alliés vous abandonnent, alors pourquoi pas moi ?

— Tes propos dépassent ta pensée.

— En vérité, c'est vous qui m'avez abandonnée. À vos yeux, je ne suis qu'un pion à sacrifier sur l'échiquier de la grande stratégie militaire.

— C'est faux et tu le sais très bien ! Jamais je ne te laisserai tomber. Je te protégerai.

— Avec vos armées de pisse-froids et avec vos déserteurs ?

— Tu es injuste ! Nous échafaudons un plan. D'ailleurs, dès son arrivée, j'aurai un entretien avec le général Lothar.

— Faites tous les plans que vous voulez, ça m'est égal. Que dit le proverbe ? On n'est jamais si bien servi que par soi-même ? Eh bien, je vais assassiner Morfydd.

CHAPITRE 19

Les invités et les participants de tout le royaume de Hudor investissent la cité royale de Bravor pour le tournoi. Malgré l'infamie du mariage forcé entre la princesse et le seigneur Morfydd, jetant ombrage sur les célébrations, la fébrilité gagne la ville. Chaque année, les réjouissances durent une semaine pendant laquelle la cité vit au rythme des combats et des beuveries. L'armistice assure le bon déroulement des festivités, car les cités ennemies acceptent de suspendre leurs différends le temps des jeux. Ainsi, seuls s'affronteront dans l'arène les champions de chaque village et de chaque région pour défendre l'honneur de leurs compatriotes. Personne n'est dupe. Cette paix momentanée permet la poursuite de la guerre par d'autres moyens. L'événement offre l'occasion de tractations en coulisse pouvant mener à des complots, à des assassinats et à des alliances. Le sort du royaume se joue chaque année lors du Tournoi des Guerriers.

L'amphithéâtre où se déroule la compétition porte le nom de Colisée d'Horlos, en l'honneur du Tigre bleu créateur de la Voie de l'eau. Ce monument colossal au beau milieu de Bravor peut accueillir cinquante mille spectateurs. Pendant les compétitions, les gradins sont remplis. Compte tenu des compétiteurs, mais surtout des nombreux visiteurs, la ville quadruple sa population pendant la période des jeux.

Les combattants inscrits au tournoi se divisent en deux catégories, Novice et Élite. Ils s'affrontent lors de diverses épreuves: le tir à l'arc, le tir à l'arbalète, le lancer du javelot et les combats armés. Un tirage au sort détermine le type d'arme des adversaires. Un combattant peut s'inscrire à plusieurs épreuves s'il le souhaite.

Pour les novices – les jeunes guerriers de moins de seize ans –, le tournoi représente le rite initiatique leur permettant de prouver leur valeur. Un jeune obtient son statut de Guerrier de l'eau après trois victoires dans une épreuve. Il passe alors en demi-finale. Fortement ancré dans la tradition hudorienne, cet événement représente l'épreuve charnière dans la formation des guerriers de toutes les écoles d'arts martiaux du royaume. Dès l'âge de quatorze ans, un novice jugé prêt par ses maîtres peut participer aux jeux. Si, à son dernier tournoi à l'âge de seize ans, il n'a toujours pas atteint la demi-finale, le novice perd son statut militaire et doit s'orienter vers un nouveau métier.

La délégation d'Angle-sur-Lac arrive à Bravor à la tombée de la nuit, rompue de fatigue. Pour jouir de la force du nombre, les dix formations de l'Alliance du Désert du Sud ont voyagé ensemble. La traversée du désert a duré huit jours, un périple exténuant et pénible au cours duquel les voyageurs ont souffert de la soif et de la chaleur excessive. L'aridité du désert ne représente toutefois qu'un facteur parmi les nombreux périls qui menacent les caravanes. Bien que les scorpions et les serpents venimeux nécessitent une constante vigilance, le plus grand danger demeure les traquenards. La nuit, une dizaine d'échauffourées ont éclaté pendant le trajet. Le convoi a été attaqué par des nomades, des détrousseurs et des hommes-chacals embusqués derrière les dunes et dans les oasis. Lorsqu'ils croyaient le camp endormi, les assaillants sortaient de leur cachette et fondaient sur les voyageurs. Des postes de défense autour du camp et un système bien rodé de rotation des patrouilles et des gardes ont permis aux membres du contingent de réagir au moindre assaut.

L'auberge où nous logeons pourrait accueillir la moitié du village d'Angle-sur-Lac, songe Lia. La jeune fille exagère, elle le sait, mais la dimension des bâtiments de la cité de Bravor l'impressionne. Tout lui apparaît démesuré. Un peu comme si la ville appartenait à des géants.

— Allons voir le Colisée et le palais royal!

— On ne verra rien, il fait nuit, répond Zaki d'un ton ferme.

— Pfff!

— Papa nous a ordonné de rester dans la chambre.

Lia tourne en rond dans la pièce. Les deux lits à baldaquin occupent presque tout l'espace. La jeune fille jette son fourbi dans une armoire en hêtre aux pattes sculptées. Ensuite, elle écarte les rideaux de velours qui dissimulent la fenêtre. La rue à ses pieds demeure aussi animée qu'en plein jour. Des fêtards attablés à la terrasse du pub devant l'auberge gueulent et chantent, une chope de bière à la main, se moquant des passants et des bonnes femmes indignées qui claquent les fenêtres de leur logement.

— Il n'y a pas de couvre-feu, à Bravor?

Zaki hausse les épaules.

— Je veux sortir!

— Pourquoi?

— T'as besoin d'une raison, toi?

— Papa nous a...

— ... ordonné de rester dans la chambre. Je sais. Je veux profiter de la ville. Allez, viens!

— Ne sois pas idiote.

— Oh, j'ai une idée ! Allons aux bains publics !

À l'évocation des bains publics, la détermination dans les yeux de Zaki chancelle.

— Avoue que ça te tente ?

— Comment tu comptes entrer ? demande Zaki. Nous n'avons pas d'argent.

— Nous trouverons bien un moyen.

Le jeune homme hésite. Il n'a pas traversé le désert pour trahir la confiance de son père et perdre le privilège de participer au tournoi.

— T'as pas traversé le désert pour ne rien voir de la cité, argumente Lia.

— Pourquoi ne pas demander la permission à papa ?

— Parce qu'il dira non.

Au même moment, la porte de la chambre s'ouvre.

— À quoi dirais-je non ? demande Lothar, debout dans le cadre de porte.

Zaki ouvre la bouche, mais Lia le foudroie du regard.

— À rien, cher père, à rien.

— Très bien ! Dans ce cas, que diriez-vous d'une visite aux bains publics ?

Les deux jumeaux se regardent, incrédules.

— Allez, vous empestez le fauve !

***

Des colonnes de cinq mètres dans le hall d'entrée bordent le chemin de Lia, de Zaki et de leur père jusqu'à la réception. L'écho de leurs pas sur les dalles de marbre se perd entre les voûtes du dôme immense. Les murs sont ornés de céramiques multicolores ; des fleurs et des plantes s'épanouissent dans des pots suspendus sous les arches. *Un tel faste n'existe pas,* pense Lia. La jeune fille se croit prisonnière d'un rêve qu'elle souhaite éternel.

Lothar et son fils se dirigent vers le pavillon des hommes tandis que Lia prend le couloir menant au vestiaire des femmes. Des employés s'activent, les bras chargés de serviettes et de peignoirs. Lia pousse la lourde porte. On lui assigne une case, puis elle se dévêt. Ses vêtements sales sont aussitôt récupérés par une vieille dame à la peau flétrie et aux cheveux gris attachés en chignon.

— Pas touche, ce sont mes vêtements !

— ... puent la poisse..., grogne la vieille entre les deux dents qui lui restent.

Le dos courbé, elle s'éloigne sans prêter attention aux cris de la jeune fille.

— Rendez-moi mes vêtements!

Lia poursuit la vieille, une serviette attachée autour du corps. La dame se réfugie dans la salle de lavage. Lia s'apprête à arracher les vêtements de force à la voleuse, mais s'immobilise sur le pas de la porte. La femme plonge les vêtements de la guerrière dans une cuve d'eau savonneuse.

— Ah bon! Je ne savais pas. Désolée.
— ... bains... au bout... à gauche, articule mollement la vieille en chiquant une substance noire écœurante.

Lia plisse le nez, tourne les talons, puis s'engage dans le corridor au bout du vestiaire. Des deux mains, elle pousse la porte et pénètre dans la salle des bains réservée aux femmes. Une douce vapeur plane au-dessus des bassins. Intimidée par la nudité des femmes de tous âges qui se baignent, Lia serre les bras contre sa poitrine. Mais personne ne l'observe. Toutes les femmes et les filles se lavent ou se détendent sans gêne. Lia demeure immobile.

Autant d'eau en un seul lieu... Comment est-ce possible ? Ébahie devant l'immensité du pavillon, elle balaie l'intérieur du regard. On ne lui a pas menti. La pièce contient des bassins d'eaux chaude, froide, tiède, glacée et salée, des statues, des fontaines, des tables à massage, des saunas. Une jeune fille offre même des rafraîchissements. Sa voix suave glisse dans l'air comme un voilier sur une mer calme. Les clapotis apaisent Lia. Son cœur reprend un rythme régulier. Elle pose la serviette sur un crochet, puis s'avance sous la statue de la déesse Badra qui verse de l'eau. Cette sensation inédite la transporte dans un état proche de la transe. L'eau chaude caresse sa peau, détend les muscles de son cou, de ses épaules. La jeune fille penche la tête en arrière. L'eau masse son visage.

Après la douche, Lia s'immerge dans un bain d'eau chaude. Sans hésiter, elle plonge ensuite dans l'eau glacée. Elle ressent des petits picotements partout sur sa peau. Elle pense aux Territoires du Nord. Peut-être la neige procure-t-elle la même sensation ? Lorsqu'elle commence à frissonner, la jeune fille replonge dans le bassin d'eau chaude. Elle s'y prélasse pendant près d'une heure, la tête renversée sur le bord, les yeux clos. Sa peau ratatine. Il est temps de sortir de l'eau. Amusée par la texture ridée de ses doigts, Lia pouffe de rire. Quelques têtes se tournent vers elle.

La jumelle retrouve ensuite la vieille ménagère qui marmonne :

— ... sentent... bon...

Lia hume le paquet de vêtements pliés que lui remet la vieille. Ils sont secs.

— Comment est-ce possible ?

La vieille a déjà quitté la pièce. *Dis donc, la bonne femme, t'es aussi aimable qu'une gifle...*

Une jeune femme enroulée dans une serviette, assise tout près, se brosse les cheveux. Elle observe Lia, un sourire mi-triste, mi-amusé sur les lèvres.

— Les vêtements sont essorés par des gladiateurs, puis séchés par le souffle de deux cents eunuques, explique-t-elle avec une teinte de dérision dans le ton.
— Tu te moques !
— Oui, bien sûr !

Lia dévisage cette délicate fille blonde aux yeux verts. Elle ne sait pas trop comment réagir. En temps normal, elle lui aurait fait regretter sa

moquerie. Elle lui aurait proposé une bonne baffe bien sentie. Est-ce la nudité qui la fige ? Le murmure harmonieux de l'eau qui l'adoucit ? La mélancolie de ce ravissant visage qui l'attendrit ?

— Les vêtements sont essorés, mais dans une machine à rouleaux actionnée par un employé de la maison, reprend la jeune dame pour répondre aux points d'interrogation qui soulèvent les sourcils de Lia.

— Essorés par la vieille chipie ?

— Gudrün ? Elle possède à peine assez d'énergie pour prononcer deux syllabes d'affilée. Après l'essorage, les vêtements sont suspendus devant un foyer.

Lia demeure silencieuse. Son esprit tente de visualiser le mécanisme de la machine à rouleaux. Rien d'aussi sophistiqué n'existe à Angle-sur-Lac.

— Désolée si je vous ai offusquée, ajoute l'inconnue.

La fille du général lui tend la main, tout sourire.

— Je m'appelle Lia.

— Enchantée. Je m'appelle Céria.

CHAPITRE 20

Depuis midi, cinquante mille personnes tapent des mains et des pieds dans l'amphithéâtre. La foule acclame ou conspue les combattants, selon leur origine. Dans un donjon sous le Colisée, Zaki s'échauffe. Le fils de Lothar étire ses muscles et effectue des formes. Ses mouvements sont fluides malgré l'angoisse. À ses côtés, Lia ne cesse de jacasser tandis que Lothar essaie de donner des conseils à son fils en vue de ce premier combat.

— Je n'ai jamais vu autant de monde... C'est génial ! Écoute les cris, les chants... Les murs tremblent ! Même le sol tremble !

— Lia, tu combats tout de suite après ton frère, concentre-toi, exige Lothar.

— Je sais, je sais..., répond Lia, le visage contre les barreaux du donjon, admirant la foule émerveillée.

— Comment tu te sens, fils ?

— Regarde, des lions ! Ils font parader des lions ! s'exclame Lia.

— Lia !

— D'accord, d'accord...

Lia s'étire avec nonchalance, une jambe appuyée contre la grille. Son attention est rivée sur les fauves qui déambulent dans l'arène. Elle ne veut rien manquer du spectacle.

Plus tôt dans la matinée, Lia a remporté sa première épreuve de tir à l'arc tandis que Zaki s'est classé pour la prochaine ronde du lancer du javelot. S'ils gagnent trois victoires dans la même discipline, ils obtiendront leur statut de Guerrier. Toutefois, ces compétitions revêtent une importance mineure aux yeux des deux jumeaux. Leur vraie valeur, ils comptent la prouver lors des combats.

Le garçon ferme les yeux. Il imagine une goutte d'eau, puis plonge à l'intérieur. Le liquide l'accueille et le coupe du reste du monde. Le bruit de la foule s'éteint petit à petit. Un silence. Le vide. Il prend conscience de ses muscles, de sa respiration, du battement de son cœur.

Il ouvre les yeux.

— Je suis prêt!

La grille s'ouvre. Zaki rejoint le centre de l'arène au pas de course. La clameur de la foule le porte, comme s'il était en suspension dans l'air.

Le jeune homme reçoit avec stoïcisme les cris d'amour et de haine qui fusent de partout à la fois. Les sympathisants de l'Alliance du Désert du Sud l'applaudissent tandis que ses ennemis le huent.

Son adversaire, Hermance, est le fils aîné d'un riche seigneur de Vauregard, la capitale de l'Aridonie. Le robuste jeune homme, âgé de seize ans, porte une armure de métal ajustée au torse, un casque, des canons d'avant-bras et des jambières également en métal. Il tient dans sa main une épée à deux tranchants. Zaki, lui, revêt un plastron, des épaulières, des jambières et des canons d'avant-bras en cuir. Comme arme, le tirage au sort a déterminé qu'il livrerait bataille avec un fléau muni de deux boules garnies de clous. Les combattants ont aussi droit à une rondache, un bouclier rond en bois.

Les deux novices se tournent vers la loge du roi Adelphe. Le souverain lève la main. La foule se tait. Seuls quelques murmures parcourent l'assistance. Les combattants s'inclinent en signe de respect. Fébriles, les milliers de spectateurs gardent les yeux rivés sur le roi. Adelphe donne le signal. À l'instant, la foule explose en hourras. Le combat s'engage.

Les premiers coups portés indiquent à Zaki que son adversaire jouit d'une plus grande force physique que lui. Ses coups sont lourds et puissants.

De plus, le fléau désavantage le fils de Lothar. Cette arme massive, difficile à manipuler, imprécise et lente, l'oblige à combattre en contre-attaque. Le tournoiement nécessaire de l'engin au-dessus de la tête rend toute offensive prévisible. Zaki déteste le fléau.

Hermance manie l'épée avec précision et frappe son opposant avec fougue. Les déplacements du colosse sont vifs et ses esquives souples. Zaki perd l'équilibre à chaque assaut du Vauregardois. Toujours en mauvaise posture, il est incapable de contre-attaquer.

Le jumeau croise le regard inquiet de son père au bout de l'arène. Lothar a le visage blême de ceux qui craignent le pire.

La panique souffle dans le cou de Zaki. Son cœur bat trop vite. Le sang pulse dans ses tempes. À chaque coup qu'il bloque, le choc de l'épée résonne dans son crâne. Les encouragements de Lia lui parviennent du bout du royaume, comme si elle criait dans l'eau.

L'eau...

Zaki recule de trois pas. Hermance ricane.

L'eau stagne, l'eau attend, l'eau éclabousse, l'eau frappe, l'eau submerge, l'eau coule.

Sois l'eau.

Zaki abandonne le fléau par terre. Le bouclier devant la poitrine, il ancre ses pieds dans le sol. Hermance sent la victoire à sa portée. Il s'élance. Son épée frappe à répétition le pavois de son adversaire. Zaki ne cède pas un centimètre. Chaque coup porté par Hermance laisse une profonde entaille dans la rondache. La foule se range du côté de l'assaillant. Les cris et les hourras redoublent la fureur d'Hermance qui désire en finir avec cet avorton. Zaki bloque tous les coups.

— Défends-toi, hurle Lia! Défends-toi!

Zaki entend le souffle d'Hermance raccourcir. Ses coups s'espacent et perdent de la vigueur. Le colosse s'acharne. Il pousse des cris de rage, les yeux injectés de sang.

Soudain, propulsé par sa jambe arrière, Hermance tente une attaque à la verticale, par-dessus la défensive de Zaki, qui pivote sur la gauche. L'épée s'abat au sol. Le fils de Lothar ramasse une poignée de sable et la lance dans les airs devant son rival. Quelques grains frappent la cuirasse d'Hermance, qui fixe pendant une fraction de seconde le nuage de poussière. Zaki effectue une roulade sur la droite, récupère le fléau, le fait tournoyer au-dessus de sa tête, puis le projette dans les jambes de son adversaire. Le garçon pousse un cri de douleur. Un clou a traversé la cotte de mailles reliant la genouillère à la jambière et s'est fiché sous sa rotule.

— Ouais! s'exclame Lia! Il est à toi!

Zaki jette un œil en direction de son père. Lothar a retrouvé le sourire.

Le jumeau attaque à son tour. Il s'élance, puis décoche un puissant coup de pied sous le menton d'Hermance. Un craquement retentit. Le jeune Vauregardois s'affaisse sur les genoux. Les yeux tournés vers l'intérieur du crâne, il crache un filet de sang suivi de quatre morceaux de dents. Zaki subtilise son épée puis appuie la lame contre sa gorge. La foule change aussitôt de camp. Les hourras et les applaudissements tournent en faveur de Zaki, qui entaille le cou de son adversaire. Ce geste symbolise la mise à mort et confirme sa victoire, ce qu'officialise le roi Adelphe d'un signe de la main.

Lia se précipite hors du donjon pour féliciter son frère et prendre place pour son propre combat.

— Le sabre, soupire Lothar en tendant à sa fille l'arme qu'elle a pigée.

Lia rebrousse chemin. Son père lui prend le visage à deux mains :

— Concentre-toi !
— Je suis concentrée !

La jeune fille saisit le sabre d'un geste vif, tourne les talons, puis fonce en direction de son frère. À mi-chemin entre la grille du donjon et le centre de l'arène, elle se jette dans les bras de Zaki.

— T'as été fantastique !
— À ton tour !

Lia bifurque vers les lions attachés à une colonne sous la loge du roi. Elle s'approche du mâle.

— Bonjour, gros minet !

La bête rugit.

— Tout doux, tout doux ! Ce n'est pas toi que je combats, mais le gros poilu à l'autre bout, là-bas.

L'animal secoue sa crinière, bâille, puis se couche.

L'adversaire de Lia la dévisage d'un air ahuri. Le jeune homme se nomme Bertrand. Il est originaire du village de Val-d'Ombre, une bourgade membre de l'Alliance du Désert du Sud. Lothar roule les yeux vers l'arrière. Sa fille ne prend rien au sérieux. Le tournoi va lui servir une bonne leçon. Peut-être l'an prochain s'entraînera-t-elle avec plus de rigueur? Pourvu qu'elle ne se fasse pas blesser...

Lia lève la tête et constate avec surprise qu'elle se trouve à quelques mètres de la loge royale. De manière spontanée, elle envoie la main à la princesse Céria. La foule s'esclaffe. Cette jeune écervelée sera divertissante! Céria esquisse un sourire alors que les nobles à ses côtés froncent les sourcils, choqués par ce manquement à l'étiquette.

Lia s'avance enfin au centre de l'arène.

— Tu t'appelles Bertrand?
— ...
— C'est un drôle de nom.

Bertrand, un trapu aux muscles saillants, n'entend pas à rire. Lia fixe ses sourcils broussailleux, sa barbe et les poils sur ses bras.

— T'es vraiment poilu!
— Ta gueule, idiote!
— Tu viens de parler ou de roter?
— Je vais te détruire!

— Ah, de roter !

Le roi Adelphe donne le signal.

Le courtaud adopte la position de combat, le bouclier levé et la lance pointée droit devant lui.

— Tu sais que t'es désavantagé, n'est-ce pas ?
— Au contraire, la lance est mon arme de prédilection.
— Je parlais de ton faciès. T'es laid.

Furieux, Bertrand se jette sur Lia, qui esquive le coup d'estoc.

— Tu sautes comme un gros lapin empâté !

La jeune fille imite Bertrand. Elle arrondit les épaules, s'accroupit et effectue des bonds en donnant des petits coups dans le vide avec la pointe de son sabre. La foule, hilare, se tape sur les cuisses, au grand désespoir du jeune homme.

Zaki croise le regard désapprobateur de son père et cesse de rigoler. Une trace de sourire persiste néanmoins sur ses lèvres.

Bertrand charge de nouveau. Lia rengaine son sabre. Au lieu de reculer ou de se ranger sur le côté pour éviter le coup, la jeune fille place les deux mains sur le pourtour du bouclier qu'elle tient à bout de bras, puis fonce sur son adversaire.

Les cris cessent dans la foule, remplacés par des murmures incrédules.

— Esquive, Lia, esquive! hurle Zaki.

Mais Lia accélère, tout comme Bertrand, déterminé à transpercer cette petite sotte.

— AHHHHHHHH! rage le trapu!
— AHHHHHHHH! répond Lia.

Le choc est brutal.

CRAC!

La lance passe au travers du bouclier. Lia rentre le ventre. La pointe de l'arme s'immobilise à un millimètre du plastron de cuir de la jeune fille.

— J'aimerais pas être à ta place, se moque-t-elle.

La fille du général dégaine son sabre. D'un coup sec, elle tranche le manche de la lance à quelques centimètres des mains de Bertrand. Interloqué, le lourdaud reste planté les deux pieds dans le sable, un bout de bâton dans les mains. Lia se débarrasse aussitôt de son bouclier dans lequel est fichée la pointe de la lance.

— Je te regarde, ça doit faire mal d'avoir des hérissons à la place des sourcils?

Lia prend un élan pour grimper sur son adversaire. Elle se propulse du pied droit, pose le gauche sur l'avant-bras de Bertrand, puis atterrit en équilibre sur ses épaules: les deux font face à la loge royale. Les bras au ciel, l'effrontée salue la foule qui l'acclame.

Lothar ne sait plus quoi penser des extravagances de sa fille.

Lia accomplit un saut renversé, retombe sur ses deux jambes derrière Bertrand, puis décoche un coup de pied dans les reins du garçon qui s'affale de tout son long, la bouche labourant le sable. Elle se penche au-dessus de lui, relève sa tête, puis tranche sa barbe. Sous les rires de la foule, elle lance les poils au vent. Ensuite, Lia glisse le sabre sur le cou de sa victime. Les gouttes de sang sur la lame confirment sa victoire.

À son retour au donjon, l'accueil sévère de son père la déçoit. Elle s'attendait à des félicitations enthousiastes de sa part. La jumelle cherche l'appui de son frère, qui baisse les yeux.

— J'ai gagné!

Clodomir, le père de Bertrand, fait irruption dans le donjon. Le solide gaillard, une copie conforme de son fils, mais plus âgé et encore plus poilu, renverse Lia au passage, qui atterrit sur le fessier. La brute s'approche à quelques centimètres de Lothar.

— Je ne vous pardonnerai pas cet affront!

Les deux hommes soutiennent le regard de l'autre pendant une minute. Une minute qui paraît sans fin.

Clodomir recule de deux pas, puis quitte la pièce.

Lothar se tourne vers Lia, qui hausse les épaules en signe d'incompréhension:

— Tu as humilié un allié.

CHAPITRE 21

Lothar emprunte une ruelle noire derrière l'auberge. Un capuchon sur la tête, il marche d'un pas rapide. Les reflets de la lune strient le ciel sans atteindre le sol, bloqués par les bâtiments serrés le long de l'allée sombre. Le général s'enfonce dans un dédale de passages obscurs, jetant des coups d'œil furtifs derrière lui. Arrivé devant une porte de métal rouillé, il soulève un petit anneau qui grince, puis frappe trois coups secs. Deux yeux gris apparaissent derrière une trappe.

— Vous êtes attendu? demande un vieil édenté aux cheveux blancs et à la voix éraillée.

— Au pied de l'Éternel, répond Lothar, à qui un messager a transmis le mot de passe.

Le vieil homme tire le loquet, ouvre la porte, puis indique la voie au général:

— En bas, au bout du couloir.

Lothar descend l'escalier. Le couloir étroit le mène jusqu'à une autre porte, qu'il ouvre sans hésitation.

Assis autour d'une longue table, les neuf seigneurs de l'Alliance du Désert du Sud se lèvent pour accueillir Lothar. Le général serre la main de chacun de ses alliés.

— Clodomir?

Le seigneur de Val-d'Ombre l'ignore. Pendant une dizaine de secondes, il laisse Lothar la main tendue dans le vide tout en le dévisageant. Un malaise parcourt l'assemblée.

— Lothar, dit-il enfin en acceptant la poignée de main du père de Lia.

Lothar sait que l'humiliation subie par la faute de sa fille prendra du temps à guérir. Mais il espère que les intérêts de l'Alliance primeront sur l'amour-propre de Clodomir.

Baris, seigneur de Hautmont, verse une coupe de vin à Lothar. Tous se lèvent et brandissent leur verre.

— Vaillance et loyauté! proclame Baris.
— Vaillance et loyauté! claironne l'assemblée.

Les seigneurs vident leur verre d'un trait. Comme le veut la coutume, ils portent aussitôt un second toast :

— Que de douleur se tordent nos ennemis !

Les convives se rassoient. Un silence nerveux crispe les visages. Lothar perçoit une tension.

— Je suis arrivé en avance sur l'heure convenue et, pourtant, vous voici tous réunis, un plat de figues bien entamé devant vous.

Les convives évitent le regard de Lothar.

— Je vois...
— Lothar..., marmonne Baris.
— Que signifient ces cachotteries ?
— Lothar, l'assemblée croit... euh... croit que...
— Parle !
— Nous savons que tu as été invité aux bains royaux, coupe Clodomir.
— Vous croyez que je manigance contre l'Alliance ?
— Nous ne croyons rien. Nous voulons savoir. Quelle a été la teneur de ta conversation avec le roi Adelphe ? renchérit Clodomir. Pourquoi nous as-tu caché cette information ?

— Des émissaires du roi, avant même le tournoi, sont venus à ta rencontre à Angle-sur-Lac, ajoute Irénée, la seigneure du village de Volvent.

— Que voulaient-ils? Que souhaite le roi? demande à son tour Edwin, seigneur de Bourg-des-Solstices.

Lothar enfourne une poignée de figues.

— Délicieuses! Ces figues sont délicieuses, apprécie le général.

— Lothar! rage Clodomir.

Le général dévisage un à un ses compatriotes.

— Combien de fois ai-je risqué ma vie pour défendre cette alliance? J'ai versé mon sang et perdu des hommes dans chacun de vos villages. J'ai passé des mois terré dans le désert, loin de ma famille, à pourchasser détrousseurs et clans de nomades pour assurer la sécurité de vos bourgs. J'ai vaincu toutes les forces ennemies provenues des cités voisines qui ont tenté de nous conquérir. Aujourd'hui, parce que le roi Adelphe m'envoie des émissaires et m'invite aux bains royaux, vous mettez en doute ma loyauté?

— Personne ne met en doute...

— Tais-toi, Baris. Je ne suis pas dupe.

— Que te voulait le roi Adelphe? insiste Clodomir.

Lothar retient sa parole quelques instants.

— J'aurais dû vous informer de la visite des deux émissaires d'Adelphe.

— Cesse de nous faire languir!

— Le roi souhaitait l'aide militaire de l'Alliance du Sud pour repousser Morfydd, qui menace d'attaquer le Tosmor si le roi ne lui octroie pas la main de sa fille. J'ai refusé.

— Cette décision ne t'appartenait pas, reprend Clodomir.

— Vous seriez partis en guerre contre Morfydd sans la milice d'Angle-sur-Lac?

Le seigneur de Val-d'Ombre ravale son orgueil, les poings serrés sur les cuisses. L'ascendant de Lothar sur l'Alliance l'agace de plus en plus. Son arrogance l'exaspère.

Lothar reprend la parole:

— Il n'était pas question d'entreprendre une campagne militaire contre un ennemi dont nous ne connaissons presque rien, laissant nos villages vulnérables en notre absence.

— Et la visite aux bains royaux? revient de nouveau à la charge Clodomir.

— J'allais vous en parler ce soir.

— À la bonne heure! ironise le seigneur de Val-d'Ombre. Nous t'écoutons.

— Le roi réitère sa demande d'alliance militaire.

Le vieil édenté se pointe avec une nouvelle carafe de vin, puis disparaît. Baris décroise les bras et pose les mains sur la table:

— Qu'offre-t-il en retour?

— De l'or, des territoires..., de l'eau.

L'assemblée réfléchit. Chacun calcule les bénéfices potentiels d'une telle alliance.

— Que lui as-tu répondu? As-tu décidé encore une fois pour nous tous? lance Clodomir, sarcastique.

— Je lui ai promis de vous en parler.

Manger et boire meublent le silence insoutenable qui recouvre l'assemblée d'une lourde chape. Les seigneurs de l'Alliance du Désert du Sud vident l'assiette de figues ainsi que la carafe de vin.

— Morfydd constitue-t-il une véritable menace? questionne Baris après un long moment.

— Il a conquis tous les villages en périphérie de la Forteresse rouge jusqu'aux abords du plateau du Tosmor, répond Lothar.

— Son mariage avec la princesse Céria nous indique qu'il ne se contentera pas de la prise de la cité royale de Bravor, enchaîne Edwin. Il veut unifier le royaume. Devenir le roi légitime de Hudor.

— Une alliance avec le Brutal est-elle possible? intervient Baris.

— Pauvre pleutre! Aussi bien te convertir sur-le-champ aux Écritures du feu, s'insurge Irénée.

Insulté, Baris se dresse et tente d'attraper Irénée par le collet, mais Lothar s'interpose:

— L'heure n'est pas à la querelle.

Irénée dévisage Baris, puis les deux se rassoient.

— La puissance de Morfydd augmente de jour en jour. Chaque village qu'il conquiert ajoute de nouveaux Guerriers du feu au nombre de ses troupes. Il a donné vie aux rokhs et a convaincu les Mandrills rouges de combattre pour lui. Sa soif de pouvoir n'acceptera aucun partage, plaide Lothar.

— Que proposes-tu?

— Selon Adelphe, il n'y a qu'une seule manière de l'arrêter: l'assassiner.

CHAPITRE 22

Les combats vont reprendre sous peu. Adelphe rejoint son siège dans la loge royale, accompagné de Céria et d'un couple de nobles de la cour. Boromé, l'époux, disserte sur les vertus du miel des apicultures de Brédor. Sa voix nasillarde vrille les tympans de Céria, qui décuple les efforts pour ne pas se boucher les oreilles avec les doigts. L'épouse boit les paroles de son mari comme s'il s'agissait de ce fameux bourbon dont il s'émerveille tant.

— S'il plaît à Votre Altesse, je commanderai à mon fournisseur quelques tonneaux dont je vous ferai cadeau.

— J'en serai ravi, répond Adelphe sans enthousiasme, las de la conversation de ce prétentieux. Entre-temps, puis-je vous régaler de poires séchées?

— Oh! Hedwidge, ma douce, ces fruits ne vous rappellent-ils pas notre séjour chez votre cousin Raoul, le seigneur de Vauregard, dont le fils a été malheureusement vaincu dans l'arène en début de tournoi? Quelle infamie! Un noble battu par le fils d'un vulgaire chef de guerre... Vous en conviendrez, Votre Majesté, les nobles ne devraient pas s'abaisser à combattre les roturiers. De nature, nous sommes nés pour commander et non point pour nous bagarrer.

Céria esquisse une moue méprisante:

— Vous dites juste, mon cher Boromé, car la nature a épargné à votre frêle constitution les rudes combats qu'impose le courage.

Piqué au vif, Boromé cherche du regard le soutien de son épouse, dont le visage exprime à la fois surprise et fatuité. Le courtisan se lève, replace sa toge, puis gonfle son maigre torse comme un coq prêt à coqueliner:

— Votre Altesse, Boromé de Boniface ne saurait se laisser ainsi insulter. Ma famille soutient la vôtre depuis plus de trente ans. Vous me reverrez à la cour le jour où votre impertinente jouvencelle me présentera ses excuses!

Le couple s'apprête à quitter la loge quand Morfydd, accompagné d'un Mandrill rouge, fait irruption. Le Brutal bouscule les gardes du roi, puis se dresse devant Boromé, qu'il dépasse de trois têtes.

— À qui donc ma promise devrait-elle des excuses? grogne Morfydd, qui a surpris la fin de la conversation.

— Écartez-vous de mon chemin!

Morfydd pose sa lourde main sur l'épaule de Boromé, qui flageole. Ses doigts écrasent les os de la fragile carcasse du noble.

— Euh... Mon Seigneur... L'aff... L'affaire est sans impor... sans importance..., marmonne le courtisan, la peur écarquillant soudain ses yeux affolés.

Le Brutal fixe l'avorton sans relâcher sa prise. La douleur irradie dans le cou et dans le bras de Boromé.

— Demandez pardon à la princesse, exige Morfydd après un long moment.

— Quoi? C'est elle qui... AHHHHH!

Morfydd broie l'épaule de Boromé. Un bruit sec de pierre qui éclate retentit. Hedwidge pousse un cri de frayeur. Son mari blêmit, ses yeux se révulsent. Adelphe se dresse entre le seigneur de la Forteresse rouge et le courtisan:

— Ça suffit, Morfydd!

— Vous êtes un barbare! s'insurge Céria.

Le Brutal éclate de rire tandis que les serviteurs du roi escortent vers l'infirmerie le pauvre Boromé qui se lamente. Hedwidge, en pleurs, tapote la main de son mari en tâchant de le réconforter.

— Vous permettez ? s'impose Morfydd.

Le géant s'assoit sur le siège aux côtés de Céria qui se lève, outrée par la cruauté de son futur époux. La jeune femme se dirige vers la porte, mais Morfydd la retient. Un frisson parcourt Céria.

— Restez, le spectacle va vous plaire.
— En aucune façon !
— J'insiste.

La princesse, sentant les doigts du Brutal se resserrer sur son poignet, obtempère.

— Ah ! Le voici ! proclame Morfydd.

Une ombre noire voile le soleil. Les cris de la foule s'étranglent. Les battements d'ailes assourdissants de la bête qui plane au-dessus du Colisée tétanisent les spectateurs. La tête enfoncée dans la jupe de sa mère, un enfant gémit. Sans avertissement, la créature plonge au centre de l'arène comme une flèche décochée sur une cible. Les deux guerriers qui devaient s'affronter reculent. À quelques mètres de hauteur, le rokh déplie les ailes, soulevant un épais nuage de sable, puis se pose au sol. Son cavalier, un Mandrill rouge, salue Morfydd.

— Que signifie cette provocation? s'indigne Adelphe.

— J'ai décidé d'inscrire mon commandant au tournoi.

— Un Mandrill rouge?

— Tous les guerriers du royaume ne sont-ils pas conviés à ces jeux?

Le roi Adelphe opine de la tête, résigné.

— Il ne peut toutefois pas prendre la place de l'un des combattants dans l'arène. Il devra attendre...

— Mon bon Adelphe, mon guerrier ne prendra la place de ni l'un ni l'autre puisqu'il combattra les deux à la fois, coupe Morfydd.

— Les deux?

— Allez, donnez le signal, que l'on s'amuse un peu. Servez-moi du vin!

Un serviteur répond à l'instant au caprice du Brutal.

— Et des figues!

Adelphe, toujours debout, affiche un sourire contraint, puis lance les hostilités. La curiosité gagne la foule, qui reprend vie. Jamais un guerrier

Mandrill rouge n'a participé au tournoi. La bête, avec sa tête hirsute, son faciès de singe, les stries bleues le long de son nez, fascine. La stature du colosse impressionne. Du coup, il apparaît normal qu'une telle créature se mesure à deux guerriers à la fois.

Ader, le commandant des Guerriers du feu et des Mandrills rouges, jette un regard oblique à ses adversaires. Un rictus narquois distend ses lèvres. Une troublante confiance émane de lui.

Irénée, la seigneure de Volvent, devait combattre Ovide, un guerrier du nord des savanes de l'Aridonie. La nervosité d'Ovide inquiète le membre de l'Alliance du Désert du Sud. L'homme paraît solide sur ses jambes, ses muscles bien entraînés, mais la pâleur de son visage trahit une angoisse affreuse. Son armure sans entailles, son glaive bien affûté tout frais sorti de la forgerie, révèlent à Irénée le peu d'expérience de son adversaire devenu partenaire. Un combat qui, au départ, s'avérait facile se présente comme un défi formidable. Ovide, à peine sorti des rangs novices, risque de lui nuire plutôt que de l'aider.

Irénée a déjà entendu parler des Mandrills rouges, mais ne les a encore jamais vus combattre. Par contre, elle sait que les hommes-singes se sont convertis au culte d'Ignos et qu'ils maîtrisent l'art martial de la Voie du feu. Comme tout stratège qui analyse les méthodes de ses ennemis, la seigneure de Volvent a étudié la Voie du feu. Elle connaît les positions de base, les types de coups et les tactiques, mais ses connaissances théoriques n'ont jamais été véritablement mises à l'épreuve. Elle a combattu quelques nomades versés dans cet art, mais jamais un maître comme celui qui se dresse devant elle en ce moment.

Ader secoue sa crinière et roule les épaules. Il semble détendu. Ovide réagit aussitôt. Le jeune homme lève le bouclier et agite le glaive. Irénée se déplace vers la gauche, de manière à ce que le Mandrill rouge se retrouve entre Ovide et elle. Ader demeure immobile. Seuls ses yeux ont suivi le mouvement de son adversaire.

Irénée cherche le regard d'Ovide, mais son partenaire fixe Ader, craignant le moindre geste de sa part. La concentration et la vigilance extrême du jeune homme l'enferment dans une vision tunnel qui l'empêche d'élaborer une stratégie avec sa coéquipière.

Le Mandrill rouge décoche un coup de pied retourné à la mâchoire d'Ovide. Une semelle brune envahit la vision du jeune guerrier. BANG! La lumière au bout du tunnel s'éteint. Ovide s'étend sur le dos.

L'avantage numérique aura été bref, songe Irénée avec résignation.

Ader attrape Ovide par les cheveux, puis le redresse sur son séant. Une fois derrière sa victime, le Mandrill rouge place la lame de son sabre sur la gorge du guerrier vaincu. Dans la loge royale, Adelphe concède la victoire. D'un geste lent, Ader fait couler le sang de son adversaire selon la coutume.

Irénée perçoit dans l'œil de l'homme-singe une lueur sinistre. Le sang s'épaissit dans la plaie. Les moqueries de la foule lancées à l'endroit du guerrier humilié cessent d'un coup, suspendues dans les airs dans un moment étrange de prémonition collective. Saisis d'horreur, les spectateurs poussent un cri de stupeur. Ader poursuit son geste. Le glaive s'enfonce dans la chair tendre du cou d'Ovide. Le sang coule à flots. La lame tranche la trachée et l'œsophage. D'un coup sec, Ader sectionne la colonne vertébrale, puis brandit la tête blonde au bout du bras.

Des spectateurs vomissent. Des enfants pleurent. Sous le choc, la foule observe la scène, le souffle coincé dans les poumons.

Révoltée, Céria bondit sur Morfydd et tente de le rouer de coups. Le seigneur l'immobilise aussitôt. Les gardes du roi dégainent leurs armes. Le Mandrill rouge qui accompagne le Brutal s'interpose.

— Sortez d'ici et quittez Bravor! ordonne le roi Adelphe, furieux. Vous avez enfreint les règles sacrées du Tournoi des Guerriers!

— Les règles viennent de changer, mon cher Adelphe, répond Morfydd. Assoyez-vous, le combat n'est pas terminé. Un Guerrier du feu se bat toujours à mort.

— Ce combat est terminé et j'annule le mariage!

Céria se dégage et gifle Morfydd.

— J'aime votre combativité, princesse. Prions Ignos pour que nos enfants possèdent votre caractère.

— L'idée même de porter en mon sein vos rejetons hideux me lève le cœur!

— Des mots bien durs, Votre Altesse, prononce Morfydd d'une voix toujours calme, serrant les joues de Céria entre son pouce et son index.

— Lâchez-moi, sale brute!

Morfydd maintient la pression sur le visage de la princesse qu'il oblige à se rasseoir sur son siège en exerçant une force irrésistible vers le bas. Une volée de rokhs passe au-dessus du Colisée. Le

Brutal nargue le roi en désignant d'un geste ample l'ensemble des spectateurs:

— Il paraît que la peur attendrit la viande... Ou est-ce le contraire? Peu importe! Ne diriez-vous pas que la chasse serait miraculeuse pour mes rokhs?

Adelphe ravale sa colère et son indignation afin d'éviter le massacre.

— Vous ne respectez donc rien? Êtes-vous digne du titre et des responsabilités que vous visez?

— Je respecte la puissance. Et vous êtes faible, Adelphe. Assoyez-vous.

Dans l'arène, Irénée examine les traits cruels du Mandrill rouge. La seigneure de Volvent a livré des centaines de batailles au cours de sa vie. Femme dure et fière, aux épaules robustes, dotée d'une force physique incomparable, elle est venue défendre son titre de championne de Hudor. Pour une rare fois, sa réputation ne lui accorde aucun avantage sur son adversaire, qui ignore tout de ses prouesses passées. Irénée se dit qu'il en est peut-être mieux ainsi. L'ignorance de l'homme singe lui permettra de le surprendre par ses tactiques et la puissance de ses coups.

Mais ce combat n'a rien à voir avec le tournoi. Le Mandrill rouge ne vise pas le championnat. La bête vit pour combattre, pour tuer. *Ne t'éteins jamais...* Telle est la Voie du feu. La créature devant elle n'abandonnera pas. Elle se battra jusqu'à la mort.

— Qu'il en soit ainsi! lance Irénée à son adversaire.

Ader laisse tomber la tête d'Ovide à ses pieds, puis pousse un rugissement puissant qui effraie même les lions. Les félins s'éloignent à tout petits pas en miaulant comme des chatons. Irénée, déterminée à vaincre ce monstre, s'élance:

— Que de douleur se tordent nos ennemis!

Ader bloque l'attaque. Les sabres se croisent. Le Mandrill rouge émet un léger grognement, surpris par la force hors du commun de la femme devant lui. Pour la première fois, il prononce des paroles:

— J'affronte enfin une combattante digne de moi.

— Je ne savais pas que les singes parlaient?

Ader glisse vers la gauche, puis contre-attaque. Son coup de pied circulaire atteint Irénée au visage. La gaillarde réplique:

— Tu frappes comme un garçon efféminé!

Irénée bondit vers l'avant. Vive, elle administre un solide coup de tête à la créature. Le bruit des deux têtes qui s'entrechoquent résonne jusque dans la loge royale. Un sourire satisfait s'épanouit sur le visage de Céria. Étourdi, le Mandrill rouge recule d'un pas. L'instant suivant, Irénée pivote sur elle-même et frappe l'homme-singe à la tempe avec son coude.

La bête chancelle. La foule scande le nom de sa championne: «Irénée! Irénée! Irénée!»

La seigneure de Volvent passe derrière son adversaire, place le bras droit sous son menton, la main gauche sur son front, appuie le genou dans son dos, puis tire vers l'arrière pour lui rompre la nuque. Impuissant, le Mandrill rouge agite les mains. Ses yeux orange s'injectent de sang. Irénée redouble d'efforts. Ses muscles robustes se contractent. Ader tente de desserrer l'étau autour de son cou, mais la femme penchée au-dessus de lui possède une force herculéenne. Le commandant comprend qu'il ne réussira pas à lui faire lâcher prise de cette manière. Il doit réagir vite.

De sa main droite, Ader parvient à agripper l'oreille d'Irénée. Lui non plus ne lâchera pas prise! Sur le point de perdre connaissance, l'homme-singe tire un dernier coup vers le bas. De toutes ses forces. L'oreille cède. Irénée hurle de douleur. Par réflexe, elle desserre les bras. Ader en profite pour dégager sa tête de la guillotine et s'éloigner à quelques mètres de son ennemie.

Le Mandrill rouge ouvre la main. Irénée observe le petit bout de chair baignée de sang dans la paume du boucher. Ader approche l'oreille de sa bouche:

— J'ai un secret pour toi: tu vas mourir.

Le Mandrill rouge lance l'oreille aux lions. Le mâle l'avale aussitôt, puis se lèche les babines. Folle de rage, Irénée se jette sur la brute. Les deux combattants enchaînent les combinaisons de coups à un rythme furieux.

Irénée ne voit plus clair. Sa colère l'aveugle. Alors qu'elle devrait amener son adversaire au corps à corps, lutter contre lui, utiliser sa force pour le soumettre, la seigneure de Volvent tente de rivaliser d'adresse avec l'homme-singe. Or, la bête est agile. Ader esquive, glisse sur le côté, puis contre-attaque. La lame du guerrier Mandrill siffle à la gauche de la tête d'Irénée. Une poignée de cheveux volent dans les airs. La seigneure écarquille les yeux.

Irénée n'aura pas le temps de voir son oreille tranchée toucher le sol. Le sabre d'Ader traverse sa gorge avant même que la douleur n'alerte son système nerveux.

Dans la loge royale, Morfydd sourit.

CHAPITRE 23

Zaki empoigne le javelot. Il fixe la cible: un cercle rouge dessiné sur la poitrine d'un mannequin de paille tristounet.

Ce prochain tir déterminera si le fils du général accédera à la demi-finale. S'il transperce le cœur de l'épouvantail, il décrochera du coup son statut de Guerrier. Peu importe la suite des compétitions, il pourra rentrer à la maison la tête haute et rallier la milice puisqu'il aura obtenu trois victoires dans une même discipline.

Zaki se concentre. Il visualise la courbe que devra tracer le javelot dans l'air pour atteindre l'organe vital. Le novice cligne des yeux, prend une profonde respiration, puis s'élance. Il effectue trois pas vers l'avant, son bras se détend, le javelot quitte sa main. La lance décrit un arc parfait au-dessus du sol. Elle monte, puis redescend. L'instant suivant, elle se fiche dans le buste du fantoche. En plein cœur!

Zaki lève le poing. Stoïque, il retient ses larmes de bonheur. Son père, sur la ligne de côté, bombe le torse. Tous les efforts de Zaki sont récompensés. Lothar accueille son fils avec une chaleureuse accolade.

En retrait, Lia ronge son frein. La jeune fille déborde d'impatience. Tout comme son frère, elle désire avec fureur être l'objet de la fierté qui allume l'œil de son père. Bientôt, Lothar la serrera aussi dans ses bras. Le général va enfin constater la valeur de sa fille.

Bras dessus, bras dessous, les deux hommes s'approchent du couloir de tir à l'arc pour assister à l'épreuve de Lia.

— Vas-y, Lia! l'encourage Zaki.

Lia, déterminée, marche en direction du pas de tir. Son tour est venu. Cinq flèches et ce sera la fête. Cinq petites flèches bien centrées, et son père bondira de joie. Elle sera une Guerrière!

À cent mètres de la ligne de tir, Lia brandit l'arc et décoche une première flèche qui touche la cible en plein centre. Poursuivant sa fanfaronnade, la jeune fille accélère le pas. Sans hésiter, elle bande de nouveau l'arc. Le coup part. La deuxième flèche atteint le point rouge. Lia se met à courir. Elle extrait une troisième flèche du carquois, la place sur la corde, étire le bras, puis laisse partir le projectile. La foule, qui jusque-là promenait son regard d'une épreuve à l'autre, rive son attention sur ce jeune prodige aux cheveux bleutés. Encore un tir parfait ! Galvanisée par les applaudissements des spectateurs, Lia plonge vers l'avant, effectue une roulade, s'immobilise à un centimètre de la ligne de tir, se redresse sur un genou, adresse un clin d'œil à son frère, puis relâche les doigts. La flèche coupe l'air en deux. Des yeux, la foule suit la trajectoire du trait qui se fiche bien droit au milieu du panneau. Ébahi, le public explose en bravos. Lia se lève et répond aux hourras par une courbette exagérée.

Pour la dernière flèche, Lia a une autre idée pour épater la galerie. Un point culminant au spectacle !

— Lia, encore une flèche et tu auras réussi ! hurle son frère. Prends ton temps ! Vise bien !

Pourquoi son père arbore-t-il cet air mécontent ? Lia lui sourit, pour l'aider à se détendre. Son regard déborde de confiance. Pas de souci, papa, je tiens ma destinée entre mes mains, semblent dire les traits lumineux de son visage. *Un tir et je serai une Guerrière à part entière !*

En position, les jambes bien ancrées dans le sol, Lia détache ses cheveux, qui tombent en cascade sur ses épaules. Lothar fronce les sourcils. Quelle est cette coquetterie ? Sa fille ne peut-elle rien faire sans extravagance ? Lia lisse le ruban qui retenait sa chevelure entre ses doigts...

— Lia... sois sérieuse..., marmonne Zaki.

La jumelle attache le ruban autour de sa tête. Le bandeau couvre ses yeux. Elle ne voit plus rien. D'une main alerte et sûre, elle place la flèche sur la corde.

Lothar baisse la tête, exaspéré par les bravades de sa fille. La foule, quant à elle, jubile. Jamais une novice n'a fait autant impression. Elle offre un spectacle inédit.

Lia détend les doigts. La flèche s'élève vers les cieux. Très haut. Elle monte, elle monte, elle monte. Au bout de sa course, le trait bascule, puis plonge vers la cible.

Compte tenu du résultat des quatre premières flèches, un tir décentré sera suffisant pour assurer à Lia une place en demi-finale.

La flèche redescend. Elle reprend de la vitesse. De plus en plus vite. Les plumes sifflent dans le vent.

Déjà, la jeune fille salue la foule et recommence les courbettes.

TOC!

Un murmure traverse l'amphithéâtre.

Lia découvre ses yeux.

Zaki, bouche bée, fixe la cible, incapable d'émettre un son. Comment est-ce possible? Une étrange frayeur hérisse les cheveux de Lia. La flèche est plantée sur le dessus de la cible, hors-jeu.

Lia est éliminée. Elle se retourne vers son père qui secoue la tête, consterné.

Les larmes embrouillent la vision de la fille du général. Lia voudrait reprendre son tir... Revenir en arrière l'espace de quelques secondes. Les regrets... Toujours les regrets... Mais il est trop tard. Toujours trop tard. Toujours la même histoire qui se répète. L'impulsion l'emporte sur sa volonté. Elle agit sans réfléchir.

Lia lit dans les pensées de son père, écrites sur son front en lettres majuscules. Il lui reproche son manque de sérieux, son manque de discipline. *Il pense que je ne suis bonne à rien, que je suis incapable de maîtriser mes émotions... Mais il a tort!* La jeune fille n'accepte pas cette condamnation injuste. *Je n'ai rien fait de mal! Je n'ai aucune raison d'avoir honte. J'ai tenté un tir impossible que j'ai presque réussi. Non, je n'ai rien à regretter!* Elle efface toute trace de déception et de tristesse de son visage. *Pourquoi ne peut-il pas être fier de moi, comme tous ces gens?*

Lia ramasse ses flèches sous les applaudissements de la foule qui ovationne son audace.

— Qui ne risque rien n'a rien, lance-t-elle en passant devant son père dont la colère distend les veines du cou.

— Justement, tu n'as rien. Tu n'as pas atteint la demi-finale.

— Pas grave, il me reste les combats.

CHAPITRE 24

— Nous ne devrions pas être ici..., chuchote Zaki.

Les combats de la journée sont terminés. Le vent siffle dans le Colisée vide. Au fond, sous la loge royale, les lions tournent en rond dans leur cage.

Lia plisse les yeux. Le soleil rouge feu décline au-dessus des loges supérieures du Colisée. Après un moment, une silhouette délicate dépose son ombre sur le sable à la droite de la cage des lions.

— La voilà! s'exclame Lia.
— Vas-tu me dire enfin qui c'est?

Lia sort de sa cachette et se précipite en direction de l'ombre. Zaki ne comprend pas pourquoi il laisse toujours sa sœur l'entraîner dans des bourbiers inextricables.

— Vous deviez venir seule, prononce la silhouette d'une voix fébrile.

— C'est mon frère. Il me suit partout comme un petit chien. Je suis incapable de m'en débarrasser, se moque Lia.

— Suivez-moi !

La silhouette disparaît entre les colonnes. Lia lui emboîte le pas, suivie de Zaki qui accélère pour les rattraper. Le trio s'enfonce sous la terre au cœur du Colisée. La flamme vacillante des torches accrochées aux parois du corridor lèche les murs de pierre. Au bout de quelques centaines de mètres, ils débouchent dans une salle au plafond bas traversé par de larges poutres. Une table en chêne aux pattes massives, entourée de huit chaises à dossier haut, accapare l'espace au centre. Des livres et des rouleaux remplissent les étagères sur les côtés, du sol jusqu'au plafond. Au mur opposé, le portrait d'un roi sévère surplombe la table.

— Où sommes-nous ? demande Zaki.

La mystérieuse demoiselle rabat sur ses épaules le capuchon de sa cape, puis se tourne vers lui :

— Dans la salle de guerre.

La lumière émise par un chandelier à trois branches posé sur la table caresse les traits fins du visage de l'inconnue. Sa chevelure bouclée aux reflets dorés enchâsse son front gracieux et ses yeux verts au regard enjôleur. Sa bouche entrouverte laisse apparaître de petites dents parfaites, semblables à des perles. Zaki fait un pas vers l'arrière. La beauté de la jeune femme fige sur ses lèvres un sourire intimidé. Jamais il n'a vu de nez aussi charmant. Un nez ? Par quel enchantement est-il en train de tomber sous le charme d'un nez ? Que se passe-t-il ? Le jeune homme se sent tout drôle. Ses jambes ramollissent. Une sensation d'engourdissement saisit son corps.

— Faut lui pardonner, c'est la première fois qu'il voit une princesse, se gausse Lia.

— Princesse... Céria ? bafouille le jumeau.

Céria adresse un sourire amusé à Zaki, qui baisse la tête.

— C'est quoi, tous ces parchemins ? interroge Lia tout en retirant et replaçant avec soin un rouleau sur une étagère.

— Des cartes, des traités, des édits royaux.

— Il y a des cartes des Territoires du Nord ? s'enthousiasme Lia.

— J'ai fouillé partout et je n'ai rien trouvé, s'attriste la princesse.

Zaki fixe la fille du souverain. D'une manière étrange, son pouls qui s'emporte et sa respiration qui devient courte lui procurent une sensation agréable.

Lia roule les yeux vers l'arrière, puis tousse pour rompre l'état d'hébétude de son frère et le ramener à la réalité. Gêné, Zaki porte son regard vers le portrait d'un roi aux traits durs.

— Qui est-ce ?
— Mon ancêtre, le roi Eutrède.
— Eutrède le Pacificateur ? Le dernier roi du royaume unifié de Hudor ?
— Il n'a pas l'air commode, lance Lia en haussant les épaules. Je n'aime pas sa barbiche.

Céria s'esclaffe. La jumelle a bien raison, son ancêtre n'était pas commode. Sa méthode de pacification était aussi étrangère à la diplomatie qu'un coup de poing l'est aux soins du visage.

Céria retire la dague qu'elle garde cachée sous sa robe, attachée à sa cuisse. La princesse dépose l'arme sur la table. Elle semble fascinée par la lame qui étincelle sous la lumière du chandelier.

— J'ai besoin de votre aide.

CHAPITRE 25

Baris et Clodomir, les seigneurs de guerre de l'Alliance du Désert du Sud, rejoignent le général Lothar au Colisée. À l'entrée des donjons, l'officier se tient droit, les mains derrière le dos. Il admire les prouesses de son fils.

Au centre de l'arène, Zaki lève les bras au ciel sous les acclamations de la foule. Son adversaire gît à ses pieds, inconscient. Le fils de Lothar l'a assommé d'un coup de pied marteau sur le dessus du crâne. Le pauvre bougre s'est fait malmener pendant tout le combat. La domination de Zaki, évidente depuis le début de l'affrontement, s'est accentuée au fil des échanges. Méticuleux et précis, le jeune guerrier a taillé en pièces la défense de son compétiteur, un garçon pourtant agile et puissant.

— Votre fils est doué, déclare Baris.

— Il se dévoue à l'entraînement.

— Votre fille aussi possède un talent exceptionnel, ajoute le seigneur de Hautmont, jetant un regard en direction de Lia, qui se précipite à la rencontre de son frère.

— Hum...

Lia saute dans les bras de Zaki. Les exploits de son frère se poursuivent. Plus tôt dans la matinée, il a remporté la finale au lancer du javelot. Or, cet exploit ne lui suffit pas. Son véritable objectif est de gagner tous ses combats et de décrocher le titre de champion.

Lothar félicite son fils, qui dépose sa rondache et son sabre près du banc de bois à l'entrée du donjon :

— Un coup de pied parfait, digne de l'élite.

— Merci, papa.

Un pincement à l'orgueil éteint le sourire de Lia. Elle aime trop son frère pour être jalouse de ses succès et partage de tout cœur son bonheur, mais l'attitude de son père la blesse. Les silences et les soupirs du général lui rappellent sans cesse ses lacunes, ses manquements à la discipline, ses entraînements bâclés, ses désobéissances. Mais bientôt, il n'aura pas d'autre choix que de la féliciter. Elle va gagner son combat et ira elle aussi en demi-finale. Son père sera fier !

Comme arme, la novice a pigé le fléau. Résignée, elle attrape le manche et soulève de manière maladroite les deux boules garnies de clous qui pendent au bout de la chaîne.

— Aïe! Ça pique! Quelle arme de barbare...

Lothar sait que sa fille ne s'est jamais entraînée avec sérieux au maniement du fléau et blâme en silence sa négligence. Malgré les efforts du général pour dissimuler son exaspération, Lia perçoit la réprobation de son père dans sa manière de serrer les lèvres. *Il va voir*, se dit la jeune fille, qui fonce vers son adversaire d'un air hardi.

— Ne vous en faites pas pour votre fille, Général. Elle est encore jeune. Elle apprendra, affirme Baris. Elle a déjà fait mieux que mon fils, qui a été éliminé du tournoi à son deuxième combat.

— Votre fils s'est bien battu. Il démontre une technique rigoureuse.

— Il manque d'instinct.

Clodomir, qui garde le silence depuis son arrivée, s'impatiente:

— Quand passons-nous aux actes?

— En temps et lieu, répond Lothar, agacé par la brusquerie de son allié.

— Les hommes sont prêts...
— En temps et lieu!

Clodomir caresse d'un geste nerveux sa longue barbe.

— Laisse le général regarder le combat de sa fille, intervient Baris. Nous discuterons plus tard.

Clodomir tourne les talons et quitte le donjon.

— Nous sommes tous à cran, plaide le seigneur de Hautmont. Il faudra agir très bientôt, la fin du tournoi approche. Au mariage, il sera trop tard...
— Je vous avise sans tarder, coupe Lothar.

Baris salue le général et se retire à son tour:

— Bonne chance à votre fille!

Devant Lia se dresse une montagne. La fille du général déglutit. Quel âge a ce monstre de muscles? Les cheveux sales, la barbe en broussaille, les arcades sourcilières cachant ses yeux, on dirait un ogre. La brute porte un casque de métal en pointe sur le dessus du crâne qui lui donne une allure ridicule, comme si sa tête était trop petite pour son énorme corps d'ours. Il brandit une épée à double tranchant qui fait l'envie de la jeune fille.

— Hé! On échange nos armes? propose Lia.
— Grrr...
— Tu t'appelles comment?
— Grrr...

Lia hausse les épaules:

— Grrr, ton casque est trop serré, ou quoi? Pourquoi je combats toujours des débiles?

La montagne tremble. Une onde sismique ébranle la charpente du gaillard qui se met en mouvement. En deux pas lourds, il franchit la distance qui le sépare de Lia et l'envoie valser d'un coup puissant de bouclier en pleine poitrine. Le souffle coupé, Lia atterrit sur le derrière trois mètres plus loin.

Lothar craint pour sa fille. Ce combat présente un trop grand risque. Lia ne pourra pas rivaliser contre cette brute. Elle n'est pas prête à affronter ce type. Elle ne s'est pas assez entraînée... Il s'avance en direction de la loge royale pour demander au roi d'arrêter le combat, mais Zaki le retient par le bras.

— Père?
— Elle va se faire massacrer.
— Ne privez pas Lia de l'opportunité de vous prouver sa valeur.

Le général hésite. Lia se relève et tente de faire tourner le fléau au-dessus de sa tête. L'arme lui échappe des mains et tombe aux pieds de la barrique qui fonce sur elle.

— Ta sœur n'a pas travaillé... Elle est désarmée...

La montagne s'enfarge dans le fléau et s'affale de tout son long. Même à plat ventre, Grrr semble plus haut que Lia. La jeune fille bondit sur le colosse. Elle pile sur sa tête pour se propulser sur son dos. La brute avale une poignée de sable.

— Lia possède son propre style, enchérit Zaki.

Il lève les yeux et croise le regard de Céria, assise dans la loge royale. Les pommettes du garçon prennent aussitôt la couleur des fraises des champs.

Le roi Adelphe goûte le spectacle, tout comme la foule qui scande le nom de Lia. Depuis l'épreuve manquée du tir à l'arc, la popularité de la jumelle ne cesse de croître. Tous désirent la voir combattre, car elle donne toujours un spectacle stupéfiant. Lothar n'apprécie guère les bravades de sa fille, mais jusqu'à maintenant, il doit admettre que le sort lui sourit.

— Voyons voir ce qu'elle a dans le ventre, se résigne-t-il.

Lia plonge les deux mains dans les pantalons du colosse. De toutes ses forces, le dos cambré, elle tire sur les sous-vêtements de l'ogre qui relève la tête et crache du sable. À la troisième tentative, le caleçon cède. La foule, hilare, hurle de rire. Lia tient le morceau de tissu entre le pouce et l'index de la main droite, éloigné de son corps. De l'autre main, elle se pince le nez.

— Elle se déshonore, rage Lothar. Ne peut-elle pas combattre comme une vraie guerrière?

Malgré son indignation, le général n'interrompt pas l'affrontement, car Lia semble en mesure de bien se débrouiller.

Humilié, l'ogre reprend la position de combat. Ses tempes palpitent, ses muscles frémissent. Les nerfs tendus, il fixe Lia avec hargne. La jumelle agite le caleçon comme un drapeau:

— Hé, Grrr! T'as perdu quelque chose?
— Grrr!
— Toujours aussi éloquent!

Lia se lance vers la gauche, puis vers la droite. Le géant tente de la frapper avec son épée. La jeune fille esquive, s'accroche au bras de la brute comme à une branche d'arbre, puis se donne un élan vers le haut.

D'un geste précis, elle enfonce le slip sur la tête de son adversaire, puis retombe derrière lui.

— Joli bonnet!

Enragé, l'ogre se retourne et retire le caleçon, qu'il jette par terre. Ses naseaux se dilatent. Ses pupilles se contractent. Grrr frappe son épée à plat contre son poitrail à répétition en avançant d'un pas lourd vers Lia. La tension monte. La fille du général comprend que la blague a assez duré. Armée d'une simple rondache, elle se sent tout à coup bien petite face à ce monstre. Les enseignements de maître Tacim se mélangent dans sa tête: *l'eau stagne, l'eau frappe... bois de l'eau... un ennemi surpris est à moitié sous l'eau... Ahhhh!*

Grrr a dépassé le fléau. Impossible pour Lia de reprendre l'arme. Un détail attire alors son attention. De larges cernes maculent la chemise de l'ogre sous les aisselles. Grrr sue abondamment et doit éponger son front à intervalles réguliers. Lia laisse tomber son bouclier et cesse de reculer.

— Lia, qu'est-ce que tu fais? s'inquiète Zaki.

La jeune fille décoche un coup de pied de côté que Grrr bloque. Elle se met aussitôt à mitrailler les flancs de son adversaire des deux pieds, l'obligeant à bouger les bras à un rythme soutenu pour se protéger. Aucun des coups n'atteint le corps de Grrr, mais les attaques intensives empêchent le guerrier de contre-attaquer. Lia maintient la cadence tout en variant la hauteur de ses salves. Tantôt elle vise les genoux, tantôt la tête ou les côtes.

— Il bloque tout..., soupire Zaki.

Grrr ne s'essouffle pas. Son énergie demeure constante.

— Change de tactique, marmonne Lothar, tu vois bien que ça ne donne rien...

De manière quasi imperceptible, Lia force Grrr à tourner sur lui-même jusqu'à ce qu'il ait le soleil en plein visage. Elle frappe de tous les angles. Bientôt, la vision de Grrr se brouille. Ses paupières ne suffisent plus à la tâche; la sueur dévale de ses arcades sourcilières et brûle ses yeux. Le colosse, aveuglé par le soleil et l'eau salée, perd le rythme. Les coups de Lia commencent à atteindre la cible. Débordé, le gaillard tente de se frotter les yeux pour rétablir sa vision et reprendre l'avantage du combat. Lia intercepte le mouvement de la main de Grrr d'un coup de pied sec au poignet. La douleur vrille son avant-bras, qui est propulsé vers l'arrière. Sous l'impact, le colosse échappe son épée. La jeune fille fauche les chevilles de Grrr qui tombe à la renverse, et récupère l'arme. L'instant suivant, elle se dresse au-dessus de Grrr, la pointe de l'épée appuyée sur sa pomme d'Adam.

— Bravo! s'écrie Zaki.

La foule, qui retenait son souffle, expire à l'unisson. Sa préférée remporte une victoire improbable.

Lia entaille le cou de Grrr, puis brandit la lame tachée de sang au ciel tout en cherchant le regard de son père.

Lothar sourit à sa fille dont le visage s'illumine comme un incendie dans la nuit.

— T'es une Guerrière! s'exclame son frère en sautant dans les bras de Lia. T'es une vraie Guerrière!

Lothar se rapproche et tend les bras. Cette étreinte tant désirée de son père gonfle son âme d'un sentiment sublime d'accomplissement. La fierté qu'elle découvre dans le regard de son père rejoint enfin l'intensité de son amour pour lui.

— Tu t'es bien battue. Ton instinct t'a sauvée, mais...
— Père, n'ajoutez rien.

— D'accord.

Lothar embrasse Lia sur les joues et la serre contre son cœur. Il oublie pour le moment les lacunes de sa fille pour célébrer son exploit. Son talent immense mérite sa fierté. Peut-être s'était-il trompé ? Peut-être ne doit-on pas chercher à dompter un fauve ? Lia lève les yeux vers lui :

— Vous savez, j'essaie d'être disciplinée...
— Je sais, ma belle, je sais.

Le général prend Lia par les épaules et la fixe :

— Tu viens d'inventer une nouvelle tactique.
— Vous croyez ?
— L'eau stagne, l'eau attend, l'eau éclabousse, l'eau frappe, l'eau submerge, l'eau coule...
— L'eau aveugle ! poursuit Lia.
— Nous demanderons à Maître Tacim d'inclure le récit de ton combat dans son traité sur l'art de la guerre, rigole Lothar.

Tout à coup, Lia s'immobilise. Son sourire tombe en chute libre. Ses yeux se posent sur son frère, puis reviennent sur son père.

— Que se passera-t-il si nous nous retrouvons, Zaki et moi, en finale l'un contre l'autre ?

CHAPITRE 26

Les commandants de l'Alliance du Désert du Sud lèvent leur verre au-dessus des restants du rôti de porc servi pour le repas. Un délicieux fumet parfume la pièce sombre. Des chandelles posées sur la table faite de planches robustes jettent un éclairage oblique sur les convives.

— Vaillance et loyauté! proclame Lothar.

— Vaillance et loyauté! répètent les huit autres seigneurs de guerre.

Tous boivent une gorgée de vin. Après un court silence, Clodomir propose un second toast:

— À la mémoire d'Irénée!

— À la mémoire d'Irénée! répondent les commandants.

Depuis plus de dix ans, les membres de l'Alliance du Désert du Sud ont combattu de nombreux ennemis, mais jamais ils n'ont eu à affronter un adversaire aussi puissant que Morfydd. Ses Guerriers du feu, animés d'une foi inébranlable en Ignos, ne craignent ni la douleur ni la mort. Les Mandrills rouges, ses troupes d'élite, possèdent des aptitudes inégalées au combat. La prouesse d'Ader contre Irénée, la championne du royaume de Hudor, le prouve.

— Morfydd sera aux bains royaux, comme prévu, annonce Baris.

— Seul? demande Edwin.

— Morfydd n'est jamais seul. Deux Mandrills rouges l'accompagnent en tout temps.

— Nous serons neuf contre trois, intervient Clodomir. Il n'y a pas de souci.

— Qui craindrait trois gaillards à poil? s'esclaffe Edwin.

Lothar songe au plan. Un aspect le tracasse:

— Comment avons-nous obtenu l'information?

— Quelle information?

— Qui nous a renseignés sur les allées et venues de Morfydd?

— Un informateur proche du roi Adelphe, répond Clodomir.

— Cet homme connaît suffisamment bien Morfydd pour savoir qu'il ira aux bains ce soir?

— Qui a parlé d'un homme?

Lothar réfléchit pendant quelques instants:

— La princesse Céria?

Clodomir hoche la tête:

— Sa servante. Céria n'aurait pas pris le risque de quitter le palais. Morfydd la garde sous surveillance.

— Hum... Ne tentons pas la chance. Nous allons intercepter Morfydd à sa sortie des bains.

— En pleine rue? C'est de la folie! Attaquons à l'intérieur, quand le bougre est nu comme un ver et loin de ses armes. Il n'y a pas de raison de rejeter le plan initial, s'insurge Clodomir.

— Clodomir parle d'or, soutient Edwin. Nous serions fous de nous priver d'un avantage tactique aussi probant.

— Tu crois que Morfydd soupçonne quelque chose? intervient Baris, songeur.

— Les servantes parlent aisément sous la menace, répond Lothar.

— C'est insensé...

— Un être tel que le Brutal ne laisse rien au hasard, Clodomir. S'il prête le flanc, nous pouvons être certains qu'il s'agit d'un traquenard.

— Alors, reportons l'attaque. Prenons le temps d'élaborer un nouveau plan.

— Non, Clodomir, tu as raison, il faut agir prestement.

— Sans plan?

— J'ai un plan.

Clodomir, les lèvres blanches, baisse le regard et serre les poings. Encore une fois, les seigneurs se rangent derrière Lothar comme des moutons...

***

Le Brutal, escorté de ses deux gardes du corps, pénètre dans l'édifice des bains royaux. En retrait, à l'angle de la Place des Ancêtres et de la rue Outrevalle, les seigneurs de l'Alliance du Désert du Sud observent la scène. Clodomir peine à demeurer en place :

— Les soldats à l'entrée ont reçu l'ordre de nous laisser passer. Allons-y !

— Nous restons ici, ordonne Lothar. À la sortie de Morfydd, nous lui tomberons dessus.

— Alors c'est ça, ton plan ? Lui tomber dessus ?

— Nos flèches.

— Quoi, nos flèches ?

— Nos flèches lui tomberont dessus. Nous occuperons trois positions tout près de l'entrée des bains. Sur le balcon de l'auberge en face, sur le toit de l'écurie royale à l'est et derrière la statue du roi Adelphe à l'ouest.

— La distance est trop grande... Au mieux, nous le blesserons et il retraitera à l'intérieur.

— Nous le poursuivrons et l'achèverons.

— Tu te contredis. Ne craignais-tu pas un piège ?

— Alors vise bien, mon ami. Notre sort en dépend, rétorque Lothar.

Le général ajoute :

— Attendez mon signal pour tirer. Neuf flèches doivent s'abattre sur lui en même temps.

Les groupes se divisent et prennent position. Des filets de nuage défilent dans le ciel qui s'assombrit. Bientôt, l'obscurité recouvre Bravor. Le temps passe. Les hommes de Lothar attendent. Accroupi derrière la balustrade de l'auberge, Clodomir, accompagné d'Edwin et de Baris, trépigne. Le seigneur de Val-d'Ombre surveille Lothar d'un œil, près de la statue, et ne perd pas de vue le portail d'entrée des bains royaux. Il a inséré la corde dans l'encoche d'une flèche, prêt à tendre son arc. Le général leur a confié la meilleure position de tir, car Clodomir a remporté le championnat des archers au Tournoi des Guerriers chaque année depuis cinq ans. Jamais il n'a manqué la cible une seule fois lors de ces compétitions. Même si la finale a lieu demain, son tir d'aujourd'hui sera le plus important du tournoi.

Une goutte de sueur pend au bout du nez de Clodomir. D'un geste nerveux, le seigneur l'essuie en frottant son visage contre son épaule.

— Il devrait déjà être sorti depuis longtemps...
— Tu crois qu'il se doute de quelque chose? demande Edwin.
— Allons voir!

Baris attrape Clodomir par l'épaule.

— Lothar nous a dit d'attendre son signal!
— Lothar s'est trompé. Nous perdons notre temps.
— Le portail! s'exclame Edwin.

Le portail de l'édifice s'ouvre. Clodomir tend son arc, imité par Baris et Edwin. Deux Mandrills rouges apparaissent.

— Où est Morfydd? s'inquiète Baris.

Les trois hommes jettent un coup d'œil en direction de Lothar. Le général maintient l'index de la main droite levé en signe d'attente. Lorsqu'il abaissera le doigt, une pluie de flèches s'abattra sur le Brutal.

Les deux Mandrills s'écartent pour laisser passer leur maître. Morfydd fait deux pas vers l'avant, puis

s'immobilise. L'ombre de la colonne à sa droite cache la moitié de son visage et de son corps. Lothar retient le signal. Encore un pas et le Brutal s'offrira en cible parfaite...

Défiant l'ordre de Lothar, Clodomir décoche une flèche. Le trait siffle dans l'air. Au passage, il tranche une mèche de la crinière de Morfydd, qui se précipite derrière la colonne. Au même moment, Lothar abaisse la main, mais il est trop tard, les Mandrills brandissent leur bouclier et bloquent les flèches lancées sur eux. Entre deux salves, le Brutal bat en retraite dans la bâtisse, suivi de ses sbires.

Lothar bondit hors de sa cachette et fonce en direction de l'édifice. Les huit autres seigneurs le rejoignent. À l'arrivée de Clodomir, Lothar plonge son regard dans le sien.

— Tu as désobéi !

— Je l'avais... Il allait disparaître derrière la colonne... J'ai...

— Tais-toi !

— Que fait-on, maintenant ? demande Baris.

— Nous devons terminer ce que nous avons commencé, déclare Lothar en dégainant son sabre.

— Que de douleur se tordent nos ennemis ! hurlent les seigneurs de guerre.

Les huit guerriers pénètrent dans la salle des bains avec prudence. Les rares baigneurs se sauvent dans les vestiaires. Le bruit des bottes qui claquent contre le plancher de pierre se répercute dans la salle immense. Le silence, bercé par les clapotis et les chutes d'eau, pèse sur l'air embrumé qui flotte au-dessus des bains. Lothar guide la section le long d'un bassin d'eau chaude. La vapeur qui s'évapore rejoint le brouillard qui cache le plafond.

Soudain, Morfydd se dresse devant Lothar. Un rictus mauvais imprègne sur ses lèvres un sourire malicieux. La brume se dissipe, puis apparaît derrière le Brutal un peloton composé d'une cinquantaine de Mandrills rouges.

— Je vous attendais, mon cher Lothar. Il y a longtemps que nous aurions dû nous entretenir.

— Écoute ce que Morfydd désire te proposer, clame Clodomir en s'interposant entre les deux groupes.

— Sale traître! crache Baris. Tu nous as conduits dans un guet-apens!

— Pauvre fou! Je viens de vous sauver, tous! Lothar vous envoyait à l'abattoir, sans aucune chance de vaincre. Aujourd'hui ou demain, tôt ou tard, vous auriez dû combattre contre les Mandrills rouges.

Le général garde le silence. Ses yeux foudroient Clodomir, qui baisse la tête. Morfydd reprend la parole :

— Lothar, vous êtes un homme intelligent, un fin stratège. Pourtant, vous avez choisi le mauvais allié. Le roi Adelphe est faible. Il ne peut rien apporter à votre Alliance, si ce n'est la défaite et la mort. Je vous offre la chance de rectifier votre erreur. Joignez-vous à moi. Formons une nouvelle alliance, partons ensemble à la conquête de Hudor.

— Il a raison, Lothar, Adelphe est une relique du passé. Nous devons nous tourner vers l'avenir. Le destin de Hudor repose entre nos mains ! s'emballe Clodomir.

Lothar esquisse un léger sourire narquois :

— Que t'a-t-il promis ? Des terres ? De l'eau ?

Clodomir ne répond pas. Lothar comprend :

— Je vois... Tu veux venger l'affront que ma fille a infligé à ton fils... Tu veux sauver l'honneur de ta famille.

— Ce que m'offre Morfydd, tu n'aurais jamais pu me le procurer. La légende racontera plus tard comment Clodomir et son contingent de Guerriers du feu ont unifié le royaume de Hudor aux côtés de Morfydd le Brutal!

Lothar s'approche de Clodomir et écarte les bras en croix en signe de reddition. Le seigneur de Val-d'Ombre, surpris, esquisse un sourire.

— Je te croyais mon frère d'armes. Qu'attends-tu pour me tuer? Comment réussis-tu à contenir cette haine si ardente qui consume ton âme? Vas-y, Clodomir! Tue-moi!

La main fermée sur la poignée de son sabre, Clodomir hésite. Son visage, à quelques centimètres de celui de Lothar, se durcit.

— Ne nous emportons pas, intervient Morfydd. Travaillons dans l'intérêt général. La guerre ne sème que désolation et mort. Je propose la paix, une nouvelle paix qui durera mille ans. Il suffit de s'entendre.

Lothar repousse Clodomir, sans détacher ses yeux de ceux de son ancien ami.

— Quelles sont vos conditions? demande le général.

— Lothar! se braque Baris.

— Je savais que vous étiez un homme sage. Une seule condition: convertissez-vous au culte d'Ignos.

Pensif, le général se frotte le visage :

— Je pisse sur votre feu éternel !

Morfydd décoche un crochet du gauche à la mâchoire de Lothar. Aussitôt, les Mandrills rouges se précipitent sur les seigneurs de l'Alliance du Désert du Sud et les immobilisent au sol.

— Jetez-les au cachot, ordonne le Brutal.

CHAPITRE 27

Le rideau de la fenêtre claque sous la poussée du vent qui s'engouffre dans la chambre. Dehors, le soleil bariole le ciel de traits rosés. Les marchands s'activent, les passants envahissent les rues petit à petit et des voix d'enfants s'élèvent vers les étages supérieurs des bâtiments qui bordent l'allée.

Zaki s'éveille. Le rêve qui animait son esprit s'évanouit aussitôt. Seule une douce sensation de bien-être demeure. Dans le lit voisin, Lia se frotte les yeux, puis étire ses muscles encore endormis.

— Papa n'est pas rentré hier soir, constate Zaki en ouvrant la porte qui communique avec la chambre adjacente.

— Il est peut-être déjà levé ?

— Nous l'aurions entendu.

— Peut-être pas. Je suis certaine qu'il va arriver d'une minute à l'autre avec des brioches. J'ai faim !

Des bruits de pas retentissent dans le corridor.

— Tu vois, je te l'avais dit! s'exclame Lia.

Les pas s'arrêtent devant la porte de la chambre. On frappe trois petits coups secs. Les jumeaux se regardent, l'air interrogatif. Leur père entrerait sans frapper... Zaki et Lia descendent du lit sans faire de bruit. Chacun attrape son sabre. De nouveau, on cogne à la porte.

— Qui est là? demande Zaki.
— Nous avons des nouvelles de votre père.

Zaki fait signe à Lia d'ouvrir tandis qu'il se place de manière à surprendre l'inconnu sur sa droite. La jeune fille tourne la poignée doucement, puis pousse la porte d'un mouvement sec. Deux sabres se croisent sous le menton de la bête qui se tient devant eux. Le Mandrill rouge abaisse les bras, bloquant avec ses canons d'avant-bras les lames des sabres des jumeaux. Dans le même élan, il empoigne les cheveux des enfants du général Lothar, puis immobilise ceux-ci au sol. Deux autres Mandrills rouges surgissent du corridor et ligotent aussitôt Zaki et Lia.

— Lâchez-moi, sales gorilles! hurle Lia en se débattant.

Les Mandrills bâillonnent les prisonniers, puis les emportent sur leurs épaules comme des tapis roulés.

***

L'Ardent, le grand prêtre du culte du Feu, examine les deux prisonniers. Zaki et Lia, toujours bâillonnés, ont été jetés dans un donjon du Colisée.

— Ignos appréciera, marmonne le vieil homme à la peau cireuse en quittant la cellule.

— Faites entrer Lothar, ordonne aussitôt Morfydd.

Le général aperçoit ses enfants ligotés au fond de la geôle. Il se raidit, les chaînes qui entravent ses mouvements se tendent. Les gardes lui assènent un violent coup de gourdin dans les reins. Lothar s'effondre au sol. Effrayés, Zaki et Lia écarquillent les yeux.

— Ça va, les enfants, ça va, prononce Lothar, tâchant de dissimuler la douleur sous un sourire forcé.

Des doigts, Morfydd caresse les cheveux de Lia. La jeune fille tente de reculer, mais heurte le mur de pierre derrière elle. Le Brutal lui caresse maintenant la joue. La respiration de Lia s'accélère, une rage sourde crispe son front et provoque des larmes de colère.

Lothar s'élance en direction du Brutal:

— Enlève tes sales pattes de ma fille!

Les gardes interceptent le général et le terrassent à coups de gourdin. Voulant se porter à la rescousse de son père, Zaki bondit sur ses pieds, mais ses liens l'empêchent de se mouvoir; il s'étend de tout son long.

— Chers amis, vos sages ne vous apprennent-ils pas à maîtriser vos émotions? énonce Morfydd, les yeux plongés dans ceux de Lia, qu'il tient par le menton. Ton père est un grand guerrier. Mais il comprend mal où se trouve son intérêt. Alors, en bon maître, je dois lui enseigner la voie à suivre, pour son bien et pour celui de son peuple.

— Je ne me convertirai pas au culte d'Ignos! se révolte Lothar.

— Le tournoi n'est pas terminé, le peuple réclame un champion. Lia, sauras-tu faire mentir ton père qui ne croit pas en ton talent, qui ne croit pas que tu possèdes la discipline nécessaire pour remporter la demi-finale, puis la finale?

Morfydd se tourne vers Zaki.

— Jeune homme, ton père fonde beaucoup d'espoir en toi. Seras-tu à la hauteur de ses ambitions ? Ne souhaite-t-il pas que tu prennes sa place un jour ?

Le Brutal se redresse. Son corps massif se déploie et envahit l'espace. Tout à coup, la cellule rétrécit.

— Général, nous allons offrir au peuple un combat de demi-finale digne de notre foi en Ignos. Vos deux enfants s'affronteront. Enfin, vous saurez lequel des deux mérite le plus votre amour.

Juste avant de quitter le cachot, Morfydd se retourne.

— Si vos enfants refusent de se battre, vous mourrez. Si vous refusez de vous convertir, nous les exécuterons après leur combat. Réfléchissez à ma proposition, Lothar.

Après le départ des gardes, Lothar se précipite avec lourdeur auprès des jumeaux, qu'il détache et débarrasse de leur bâillon. Les chaînes raclent le sol derrière lui.

— Père ! s'exclame Lia en sautant dans les bras du général. Qu'allons-nous faire ?
— Je ne veux pas me battre contre Lia, intervient Zaki.

Lothar pose les mains sur les épaules de ses enfants.

— Rien n'a vraiment changé. En venant ici, vous saviez que la possibilité de cet affrontement existait. Vous aspiriez tous les deux au championnat.

— Je vais laisser Zaki gagner!

— Non, je vais te laisser gagner!

— Battez-vous au meilleur de vos capacités.

— Mais, père?

— Lia, crains-tu que ton père ne t'aime moins si tu perds? Et toi, Zaki?

— Je...

— Il est vrai, Lia, que je te reproche souvent ton manque de rigueur lors des exercices. Il est vrai aussi que tu pourrais t'entraîner plus. Mais ce tournoi m'a ouvert les yeux sur une vieille maxime des ancêtres que je croyais pourtant comprendre: les détours aussi mènent à destination. Tu as ton propre chemin à suivre. Zaki a le sien.

Lothar enlace ses enfants.

CHAPITRE 28

Pour les combats de demi-finales, Morfydd ainsi que l'Ardent, le grand prêtre du culte d'Ignos, prennent place aux côtés du roi Adelphe et de la princesse Céria dans la loge royale. Lothar, enchaîné dans un donjon adjacent à celui où se préparent et attendent les combattants, s'inquiète pour ses enfants. Après le combat, que se passera-t-il s'il refuse toujours de coopérer avec Morfydd ?

Une guerrière et un guerrier s'avancent au centre de l'arène pour le premier combat de demi-finale. Arégonde, la fille de Rodrigue l'Impétueux, seigneur des Basses-Rives, affronte Ludovic l'Orphelin, fils de personne, élevé par les moines du temple d'Isidore à Vauregard, la capitale de l'Aridonie.

Pour les demi-finales, les guerriers peuvent choisir leurs armes. Arégonde a troqué le bouclier pour une seconde épée. Ludovic se munit d'une hache de bataille et garde la rondache. La jeune femme et le jeune homme dirigent leur regard vers la loge royale et s'inclinent devant le roi.

Le combat s'amorce. Les deux adversaires s'étudient. Ils tournent en rond, l'un face à l'autre, les muscles tendus, tentant des coups d'approche timides. La foule s'impatiente, les huées s'élèvent dans les gradins. Concentrés, Arégonde et Ludovic n'entendent rien. Seul compte le prochain geste de l'adversaire. L'ouverture se présentera et il faudra attaquer. Pour l'instant, la vigilance prime. Une erreur et tout bascule.

Arégonde s'élance, ses épées décrivent deux arcs et s'abattent sur la rondache de Ludovic, qui bloque l'attaque. L'orphelin riposte d'un coup de hache puissant qu'esquive la fille de Rodrigue. La foule s'anime. Elle a enfin droit à un peu d'action! Les guerriers redoublent d'ardeur. Ils rivalisent de force et d'adresse. Les coups sont vifs et précis. Ni l'un ni l'autre ne cède un centimètre. Les deux vaillants opposants augmentent encore la cadence. Le rythme devient insoutenable. Le soleil explose en mille rayons découpés par les mouvements des armes qui tournoient et s'entrechoquent. Rien qu'à regarder, la foule s'essouffle. Arégonde et Ludovic se livrent une bataille acharnée, sans faiblir.

Ludovic pénètre la garde d'Arégonde et provoque le corps à corps. Avec sa hache, une arme courte facile à manier en position rapprochée, il atteint la clavicule de la fille de Rodrigue. Le coup porte.

Arégonde pousse un hurlement rauque, pivote sur sa gauche puis, le bras tendu, ramène son épée vers le haut. La lame lacère la peau de la cuisse de l'orphelin. Dans un second élan, elle frappe son adversaire au genou droit. La genouillère de métal encaisse le choc. Ludovic réplique en décochant un coup de pied frontal au menton d'Arégonde qui, au même moment, lui assène un coup de pied circulaire à la tempe. Tout se passe en un éclair.

La jeune femme et le jeune homme s'effondrent, assommés. Ils ne bougent plus. Une fine poussière retombe sur les corps inconscients.

Lia et Zaki observent la scène, ébahis.

Le roi Adelphe se lève. La foule se tait.

— Chers citoyens de Bravor, chers visiteurs venus des quatre coins du royaume, ce combat n'ayant produit aucun vainqueur, le prochain affrontement déterminera le champion des novices. Place à la finale des novices!

Aussitôt, les brancardiers viennent cueillir les guerriers mis hors combat, qui se redressent péniblement, sans comprendre ce qui se passe.

Les gardes poussent Lia et Zaki dans l'arène. Les deux jumeaux avancent sous les acclamations de la foule, les bras ballants, l'air hagard.

Entre-temps, Morfydd rejoint Lothar dans sa cellule.

— Vos enfants savent-ils?

La surprise chiffonne les traits du visage de Lothar.

— C'est bien ce que je pensais. Ils ne savent pas.

Le Brutal ricane. Ses sourcils touffus soulignent la malice qui brille dans son regard.

– Au départ, j'étais sceptique. Mais l'Ardent s'est montré convaincant. Il faut dire que je n'avais jamais vu des jeunes de quatorze ans démontrer autant d'aptitudes au combat. Même chez les Mandrills rouges.

Morfydd se rapproche du général, qu'il fixe dans les yeux.

— Vous transportez un bien lourd fardeau sur vos épaules, mon cher Lothar. Le destin du royaume de Hudor! Ha! Ha! Qu'affirment les chamanes? Que les descendants des Tigres bleus vivent parmi les peuples du continent? Je ne croyais pas à cette légende. Pourtant, vous voilà devant moi, fier et digne, avec vos cheveux noirs aux teintes bleutées. Et vos enfants... Selon la légende, les guerriers mythiques attendent le retour de la déesse Badra pour se manifester et renverser les forces du feu. Où se trouve la déesse des eaux? Qu'attend-elle pour vous sauver?

— ...

— Vous devez vous sentir bien seul, Lothar, héritier des guerriers légendaires, descendant des Tigres bleus.

Au centre de l'arène, Lia et Zaki demeurent immobiles. De nouveau, la foule s'impatiente. Les huées fusent. Les jumeaux refusent de combattre. Soudain, un bruit assourdissant de battements d'ailes emplit l'amphithéâtre. Une volée de rokhs s'élève au-dessus du Colisée, jetant l'effroi chez les spectateurs qui, le temps des festivités, avaient chassé de leur esprit la menace d'invasion. Les oiseaux de la foudre atterrissent devant le donjon. Morfydd adresse un signe à Ader, le commandant des Mandrills rouges. Les cavaliers descendent aussitôt de leur monture, puis se répartissent en cercle autour des enfants du général Lothar. Les jumeaux comprennent qu'ils n'ont plus de marge de manœuvre.

— Bonne chance, petit frère.

— Bonne chance, Lia.

— Offrons-leur un bon spectacle ! s'égaie tout à coup Lia.

La jeune fille se met en garde, imitée d'emblée par son frère. La foule pousse un soupir de soulagement suivi de hourras nourris. La normalité reprend ses droits, enfonçant aussi loin que possible la peur dans l'inconscient des citoyens. À l'image de l'autruche qui se cache la tête dans le sable, les spectateurs reportent le danger à plus tard dans l'espoir qu'il disparaisse de lui-même. Les anciens ne disent-ils pas que tout finit par s'arranger ?

Lia engage le combat. Son sabre croise celui de Zaki. Le tintement métallique plaît à la jumelle. Une mélodie lui vient en tête. La fille du général recule d'un pas, tape sur son bouclier avec son sabre suivant un rythme musical, puis enchaîne une série de coups que bloque son frère. Elle s'amuse, comme toujours. L'air devient si précis que la foule commence à siffloter, puis à chanter.

Au fond de sa cellule, Lothar n'en croit pas ses oreilles. La virtuosité de sa fille le sidère. Morfydd, toujours à ses côtés, apprécie la performance de la jeune guerrière. Son potentiel lui plaît.

Zaki esquisse un sourire furtif, mais demeure concentré. Il connaît aussi la mélodie. Après un moment, les coups de Lia deviennent prévisibles. Le jumeau se prête au jeu encore quelques instants, puis brise le rythme d'un coup discordant de bouclier qui atteint sa sœur en pleine poitrine. Lia trébuche et tombe sur le derrière.

Lothar salue en silence la capacité d'analyse et de concentration de son fils.

Ces jumeaux sont doués, songe Morfydd.

Lia bondit sur ses pieds.

— La foule appréciait le concert.
— Désolé, petite sœur !
— Avoue que tu ne savais pas que tu pouvais jouer de la musique !

Lia tente de déconcentrer son frère, qui réplique avec une combinaison de coups d'estoc précis.

— Jolis coups, frérot !

La jumelle riposte d'un coup à la tête, mais Zaki l'esquive. Le garçon roule avec le coup et saisit le bras de sa sœur. D'un mouvement vif, il bloque le poignet de Lia et la désarme. Le sabre tombe au sol.

— Belle clé de bras! Mais pas très originale, se moque Lia.

La fille de Lothar oscille vers la gauche, puis vers la droite dans un mouvement de balancier tout en se collant sur son frère. Un *uppercut* vif percute le menton de Zaki. Ébranlé, le garçon se replie, bouclier levé, sabre dressé, comme on le lui a enseigné.

— Prévisible! s'exclame Lia qui en profite pour ramasser son sabre.

À quelques mètres de distance, les jumeaux s'observent. Lia lance soudain son sabre dans les airs, puis s'élance vers son frère. L'arme monte vers le ciel. Lia fonce tout droit sur Zaki. L'espace de quelques secondes, l'esprit du garçon s'enraie. Ses muscles se bloquent, abandonnés par son cerveau médusé qui ne donne aucun ordre. Tout se passe à une vitesse accélérée. À deux pas de Zaki, Lia glisse au sol. Le sabre a entrepris sa descente. Les réflexes de Zaki interviennent. Ils reprennent la maîtrise du corps du jeune homme. D'un geste spontané, ses bras ramènent le bouclier au-dessus de sa tête. Au moment où le sabre se fiche dans la rondache, Lia fauche les jambes de son frère.

La chute du garçon soulève un nuage de poussière et une volée de « Oh... » chez les spectateurs.

Le fils du général encaisse le dur choc. Pour la première fois, il perçoit les limites de la technique contre un adversaire aux tactiques excentriques. L'imprévisibilité de sa sœur la rend redoutable.

Le regard de Lia a changé, mais pas son sourire. Si elle s'amuse toujours autant, un sérieux désir de vaincre étincelle désormais dans ses yeux.

De son donjon, Lothar admire le combat. Lia peut-elle battre Zaki?

— Vous saurez bientôt qui de vos deux enfants mérite le plus votre amour, ricane Morfydd.

Le jeune homme se redresse. Sa sœur ne lui laisse aucun répit. Lia déconstruit toutes les formes classiques. Ses coups s'enchaînent selon des combinaisons improbables, ses déplacements latéraux confondent Zaki qui recule, sans cesse en mode défensif, incapable de reprendre le dessus sur son adversaire. Lia atteint son frère aux côtes à plusieurs reprises avec ses coups de pied et l'oblige à se réfugier maintes fois derrière son bouclier. Pour une rare fois, le jumeau perd ses moyens. La panique corrompt l'adrénaline dans son sang. Plutôt que d'énergiser son organisme, l'hormone ralentit son corps, qui s'empâte. Zaki chute de nouveau au sol. Pour éviter l'attaque de sa jumelle, il roule sur lui-même, puis reprend pied. Le garçon lit la détermination de sa sœur dans ses yeux. Il se sait en difficulté.

Sois l'eau, mon ami...

Zaki se recentre. Lia l'a projeté dans une rivière aux flots déchaînés. Alors, il sera cette rivière. Il doit s'adapter. À son tour, le guerrier attaque. Ses coups, pratiqués des milliers de fois à l'entraînement, sont secs et puissants. Lia bloque et esquive. La cadence s'accélère. La combattante garde le sourire. Son frère lui sert une combinaison classique tout droit tirée des manuels d'arts martiaux. L'exécution est parfaite. Rien de surprenant.

— L'attaque du dragon... Allez, Zaki, surprends-moi ! On dirait un examen de fin d'année.

Le garçon maintient la pression. Lia cherche à casser le rythme, mais c'est impossible, car les coups arrivent trop vite. Son esprit, coincé dans l'instant, peine à trouver une solution à cette impasse. Dans le flot de coups, Zaki dissimule un dessein précis : placer son coup de pied fétiche. Mais pour réussir, il doit noyer Lia dans la rivière.

Bientôt, les coups de Zaki commencent à atteindre la cible. Lia maîtrise le début de toutes les formes classiques, mais très peu leur fin. Si bien que ses réflexes ne suffisent plus à parer la tempête qui s'abat sur elle. Ébranlée et déséquilibrée, la guerrière tente un nouveau coup d'éclat en effectuant un coup de pied renversé, mais Zaki choisit ce moment pour casser la séquence. Il élève son pied droit à la verticale dans un mouvement circulaire de gauche à droite, puis il l'abaisse tel un marteau sur le dessus de la tête de sa sœur.

Le bruit mat du talon contre l'os crânien résonne jusque dans le donjon de Lothar, qui grimace. Les cris de la foule, en suspension au-dessus de l'amphithéâtre, retombent au sol comme une vapeur diffuse.

Zaki se précipite auprès de Lia, qui est semi-consciente :

— Ça va ?

L'Ardent se dresse dans la loge royale et réclame la parole :

— Frères et sœurs du royaume de Hudor, Ignos, le dieu du feu, notre père à tous, est en colère ! Partout, les faibles sont au pouvoir. Ces pleutres rechignent à prendre les mesures nécessaires pour unifier le royaume et imposer la paix. Leur lâcheté perpétue l'état de guerre permanent dans lequel nous sommes plongés et cause la ruine des cités. Le temps est venu de renverser le règne des faibles. Pour apaiser la colère d'Ignos et pour célébrer l'avènement d'une nouvelle ère, j'ordonne le sacrifice de la guerrière vaincue. Que le champion répande son sang indigne sur le sable sacré de ce temple du combat. À la gloire d'Ignos!

Lothar se jette sur Morfydd en hurlant, mais les chaînes freinent son élan. Avant même d'atteindre le Brutal, il est roué de coups par les gardes.

Dans l'arène, deux Mandrills rouges s'avancent et maintiennent Lia au sol. Une vive tension paralyse la foule. Ader se place derrière Zaki, saisit son bras, puis le force à appuyer la lame de son sabre sur la gorge de sa sœur.

— Ne fais pas attendre Ignos, menace le commandant des Mandrills rouges.

Sous le choc, le jeune homme se fige. Son esprit tangue. Une sensation d'engourdissement envahit ses membres. Sa vision s'embrouille. Tout devient irréel: ce soleil rougeoyant, ces visages blancs dans les estrades, la poussière qui flotte dans l'air. Son triomphe se transforme en cauchemar. Il ne sent plus l'arme dans ses mains. La lame, cette excroissance incongrue appuyée contre la gorge de sa sœur, lui renvoie le reflet de son hébétude.

Dans le donjon, les Mandrills rouges cessent de frapper Lothar.

— Votre dieu est un lâche! blasphème le général en s'adressant à Morfydd. Quel dieu guerrier exigerait le sacrifice d'une enfant à peine sortie des rangs novices?

— Ne fais pas attendre Ignos, répète le Mandrill rouge. Accomplis la volonté du dieu du feu, sinon vous serez tous deux exécutés.

CHAPITRE 29

Pour la première fois dans l'histoire du royaume de Hudor, un Mandrill rouge tentera de remporter les grands honneurs du Tournoi des Guerriers.

Sans enthousiasme, le roi Adelphe, qui observe l'étau se resserrer sur sa cité, lance les hostilités. Le souverain fonde peu d'espoir en Cyrille le Roux, le seigneur de Libreterre, un village en bordure de la mer du Lointain.

L'Ardent s'approche de Morfydd, qu'il tire à l'écart :

— Vous avez contrarié Ignos, mon Seigneur. La fille devait être sacrifiée.

Morfydd lève l'index. Ce geste minimaliste, accompagné d'un coup d'œil sévère, impose le silence à l'Ardent, qui ravale ses paroles.

— Nous offrirons à Ignos un sacrifice plus méritoire, insiste le Brutal.

Une lueur malicieuse brille dans les yeux orange d'Ader. Le commandant des Mandrills rouges, en position repos, les mains derrière le dos, penche la tête de quelques degrés sur le côté, comme si cet angle lui permettait de percer à jour l'âme de son adversaire. Cyrille serre la main sur la poignée de la hache. Pour se donner du courage, il frappe l'arme trois fois contre son bouclier en poussant un cri de guerre. Ader ne cille pas.

Cyrille s'élance. Son bond est prodigieux. La hache du seigneur de Libreterre vise la tête de la bête. Au dernier instant, Ader redresse le cou et tourne les épaules. La hache fend l'air. Le Mandrill rouge passe derrière son adversaire. Il dégaine les deux dagues qu'il porte à la ceinture et les enfonce de chaque côté de la tête de Cyrille entre la clavicule et le cou. Le seigneur reste suspendu au bout des poignards pendant quelques secondes comme un pantin désarticulé. Ader retire les dagues. Le sang gicle des plaies. Le guerrier s'effondre sur les genoux, puis s'affale de tout son long.

Céria plaque la main sur sa bouche, puis détourne le regard. La puissance de ces monstres subjugue les esprits.

— Nous sommes perdus..., marmonne la princesse.

Blafard, le roi Adelphe proclame la victoire fulgurante du nouveau champion de Hudor. Un silence tendu coince l'air dans les poumons des spectateurs. La foule réagit comme si on lui révélait qu'elle est atteinte de la peste bubonique.

L'Ardent descend dans l'arène, escorté par un peloton de Mandrills rouges. Une fois au centre, il se tourne vers les guerriers et écarte les bras :

— Ô Ignos, dieu du feu, flamme éternelle, nous vouons à ta volonté un culte sacré. Donne-nous la force d'imposer ton règne sur ce royaume déchu. Accepte ce sacrifice.

Les Mandrills rouges ouvrent les rangs. Au milieu apparaît le général Lothar. Il porte une tunique de prisonnier. Ses poings sont liés et ses pieds insérés dans des anneaux de métal retenus par une chaîne d'une trentaine de centimètres.

Du fond de leur geôle, Lia et Zaki poussent un cri de terreur. Les enfants de Lothar se jettent contre les barreaux.

— Père ! hurle Lia.

Tous les espoirs du roi Adelphe s'évanouissent. Son plan d'assassinat a échoué. Plus rien ne peut maintenant arrêter Morfydd.

Ader, le commandant des Mandrills rouges, s'avance vers Lothar. D'un coup de pied, il force le prisonnier à s'agenouiller devant l'Ardent.

Le grand prêtre présente à la foule une serpe dorée qu'il tient à bout de bras. À ses pieds, Lothar fixe le sol. D'un geste brusque, Ader attrape les cheveux du général et tire vers l'arrière pour dégager sa gorge.

Lothar crache sur la toge de l'Ardent :

— Votre dieu prescrit que les guerriers prouvent leur valeur au combat. Pourtant, vous sacrifiez un guerrier comme une simple brebis. Honte à vous qui proclamez haut et fort la supériorité de votre religion ! Vous bafouez l'honneur du guerrier !

— Tais-toi, chien ! peste l'Ardent, qui s'apprête à trancher la gorge du général.

— Arrêtez ! intervient Morfydd. Que demandes-tu, Lothar, ma clémence ?

— Je n'ai que faire de votre clémence ! Je veux un combat contre le champion.

— Tu n'es pas en position d'exiger quoi que ce soit.

— Oh ! Je n'exige rien. Je parle d'honneur.

Morfydd réfléchit.

L'Ardent prend le Brutal à part:

— Seigneur, Ignos requiert une offrande. Vous avez interrompu le sacrifice de la fille, maintenant vous...

— Craindrais-tu une victoire de Lothar?

— Je ne crains qu'une seule chose: la colère d'Ignos.

— Lothar est un symbole. Je dois asseoir ma puissance sur sa renommée. Le général m'offre l'opportunité de frapper l'imaginaire collectif du sceau du feu. Sa défaite accomplira trois objectifs: impressionner le peuple, me débarrasser d'un puissant ennemi et attirer sur moi les faveurs d'Ignos par le sacrifice d'un descendant des Tigres bleus.

L'Ardent s'incline:

— Nous devons aussi sacrifier les enfants.

— J'ai d'autres plans pour eux.

Morfydd s'éloigne de l'Ardent, qui rumine son amertume.

— Préparez le prisonnier pour le combat, ordonne le Brutal à ses troupes.

En passant devant la cellule où croupissent ses enfants, Lothar s'immobilise. Il attrape les mains de Lia et de Zaki à travers les barreaux:

— Ne soyez pas tristes. Que je vainque ou que je meure, l'honneur sera sauf.

Les gardes arrachent Lothar à l'étreinte de ses enfants.

— Père!
— Soyez forts... Je vous aime...
— Défoncez le crâne de cet horrible babouin! rage Lia.

Quelques mètres plus loin, les soldats jettent Lothar dans un cachot.

— Qu'on lui rende ses vêtements et ses armes, ordonne Ader en s'éloignant.

Un homme s'avance vers le général. Il tient dans ses bras une pile de vêtements sur laquelle repose un sabre dans un fourreau.

— Clodomir?
— Lothar.
— Sale félon! Que fais-tu ici?

D'un clin d'œil complice, le seigneur de Val-d'Ombre indique à Lothar de se calmer. Son sourire se veut rassurant.

— Prépare-toi, je t'ai apporté ton sabre.

Clodomir dépose les vêtements aux pieds de Lothar, puis tire le magnifique sabre bleu du général de son fourreau.

— Où sont les autres membres de l'Alliance ? demande Lothar à voix basse, rempli d'espoir. Je savais que tu reviendrais à la raison, Clodomir. As-tu un plan pour assassiner Morfydd ?

— Habille-toi.

— Quand allez-vous intervenir ? Avez-vous l'appui des troupes du roi Adelphe ?

Le seigneur de Val-d'Ombre caresse la lame du sabre bleu. Il lève les yeux. Son regard se durcit.

— Que de douleur se tordent nos ennemis !

Clodomir enfonce le sabre dans l'épaule de Lothar, qui pousse un rugissement douloureux.

Alerté par le cri du prisonnier, Ader, le commandant des Mandrills rouges, se précipite dans le donjon.

— Que fais-tu ?

— Je prépare le prisonnier pour le combat, glousse Clodomir.

Le Mandrill pousse le seigneur de Val-d'Ombre sur le côté et retire la lame de l'épaule du général qui retient son souffle, les traits déformés.

— J'ai attendri la viande, se moque Clodomir.

— Parce que tu croyais que j'avais besoin de ton aide pour vaincre cet indigne?

— Je...

— Imbécile! Que pensera Ignos d'une victoire contre un adversaire affaibli?

— Je ne sais pas... Je croyais...

Une rage sourde embrase le cœur d'Ader. Il empoigne son sabre et plaque la lame contre la gorge de Clodomir. Ses yeux injectés de haine transpercent le regard du traître.

— Ne me tuez pas...

— Tu as raison. T'exécuter d'un coup, sans te faire souffrir, serait un châtiment trop clément. Tu seras banni et exilé dans les Terres brûlées. Ton agonie sera lente et horrible. Tu crèveras la gueule pleine de sable alors que les vautours te boufferont les yeux pendant que tu pousseras ton dernier soupir. Gardes! Emmenez cette ordure hors de ma vue et jugulez l'hémorragie du prisonnier.

Devant l'air ahuri de Lothar, le Mandrill rouge plante le sabre bleu dans sa propre épaule, puis le retire.

— Que le meilleur remporte la victoire, grogne Ader.

Le Mandrill rouge redonne le sabre au général, puis quitte la cellule. Une coulée de sang macule la manche gauche de sa tunique.

CHAPITRE 30

Des pas retentissent dans le couloir derrière la lourde porte du donjon. Des voix indistinctes parviennent aux jumeaux de l'extérieur. Tout à coup, un corps s'écrase avec violence contre la porte. Un casque métallique tinte en heurtant le plancher de pierre.

— Que se passe-t-il ? interroge Lia.

Plein d'appréhension, Zaki hausse les épaules.

Quelqu'un insère une clé dans la serrure. Un déclic réveille l'écho. La porte grince sur ses gonds.

— Les petiots, l'air des geôles vous engourdirait-il la cervelle ?
— Albéric Cyprien !
— Venez ! Grand mal nous prendrait de nous éterniser ici.

Aubert Tibaud pénètre à son tour dans la cellule. À l'aide des clés subtilisées au garde, il libère Lia et Zaki de leurs chaînes.

— Nous devons quitter Bravor sans respit, annonce Albéric Cyprien.

— Et notre père ?

— Brave Zaki, nous avons donné notre créant à Lothar de vous conduire en lieu sûr.

— La princesse nous a confié une mission, se cabre Lia.

— Nous devons libérer les autres commandants de l'Alliance du Désert du Sud, poursuit Zaki.

Albéric Cyprien prend le visage du garçon dans ses mains :

— Nom d'un Couillebeau ! L'Alliance du Désert du Sud n'existe plus. Sitôt après la capture de votre père, ceux parmi ses commandants qui ont refusé de prêter allégeance à Morfydd ont été occis.

— Dans l'honneur ?

— Pendus, comme des gueux. Leurs corps balancent toujours au bout d'une corde à l'entrée de Bravor, se désole Aubert Tibaud.

— Il faut fuir cette geôle prestement, insiste Albéric Cyprien.

Les jumeaux se résignent.

***

Avant d'entrer dans l'arène, Ader palpe son épaule blessée. Le Mandrill rouge songe au combat contre Lothar. Vaincre un héritier des guerriers mythiques exaltera sa gloire terrestre et assurera le salut de son âme après la mort. Son souffle vital joindra alors le cercle du feu éternel. Une immense fierté gonfle son torse musculeux.

Ne t'éteins jamais...

L'instant suivant, une grimace haineuse tord le faciès de l'homme-singe. Clodomir, le vire-capot, a failli gâcher son triomphe. Affaiblis, Lothar et lui ne pourront déployer tout l'éventail de leurs habiletés. Espérons néanmoins qu'Ignos appréciera le choc de titans auquel il s'apprête à assister.

Une ombre longiligne frôle les murs de l'escalier de pierre sous la loge royale. L'Ardent, mains jointes devant le corps, se dirige vers l'arène. Ses pieds soulèvent une légère poussière qui tourbillonne et retombe en cristaux fins. Le grand prêtre s'avance pour proférer l'incantation sacrificielle. De la main, il fait signe aux guerriers d'approcher. Provocateur, Lothar brandit le poing pour rallier les spectateurs : un tonnerre de cris et d'applaudissements ébranle les colonnes du Colisée. La foule salue son héros, dont les exploits alimentent les récits des troubadours depuis plus de vingt ans. Lorsque le Mandrill rouge apparaît, un silence farouche envahit l'amphithéâtre. Puis la foule se met à le huer, malgré la menace des rokhs perchés autour de l'arène.

L'Ardent prend place entre les deux guerriers. Sa voix éraillée égratigne le silence:

— Ô Ignos, bénis cette offrande.

Le grand prêtre élève la serpe sacrée au-dessus de sa tête. Tout en ramenant la faucille à la hauteur des yeux, il prononce des paroles dans une langue incompréhensible. D'un geste solennel, il entaille la peau sous l'œil d'Ader. Un vilain sillon en forme de U. Le sang suinte sur la lame. Ensuite, l'Ardent se tourne vers Lothar, qui accepte de se soumettre. Célébrée au nom d'Ignos, cette cérémonie entérine la tradition ancestrale hudorienne selon laquelle le sang des guerriers doit être sanctifié avant tout combat sacrificiel. Sans minutie, l'Ardent enfonce la pointe de la lame dans la tempe gauche du général, puis trace une courbe de manière à décrire un arc jusqu'à la narine.

— Dieu du feu, deux guerriers intrépides s'affrontent aujourd'hui sous ton œil solaire; que leur sang rassasie ta soif!

Le grand prêtre tire la langue. D'un mouvement ample, il joint la main gauche à la main droite sur le manche de la serpe, puis glisse la lame à plat sur sa langue. Un trait de sang dégouline sur son menton, teintant de rouge sa barbe grise.

— À la gloire d'Ignos!

Les deux adversaires se mettent en garde. Lia attrape la main de Zaki. L'angoisse crispe les doigts des jumeaux.

— Papa a vaincu tous les rivaux qui se sont dressés devant lui, murmure Zaki.
— Je sais...

Malgré l'insistance acharnée d'Albéric Cyprien et d'Aubert Tibaud, les enfants du général ont refusé de quitter le Colisée. Bravant le danger, ils se sont glissés parmi les spectateurs afin d'assister au combat. Vêtus de capes dérobées à des quidams inattentifs, le capuchon enfoncé sur les yeux, Lia et Zaki serrent les mâchoires, l'espoir coincé dans la gorge.

Ader porte le premier coup. Son sabre percute le bouclier de Lothar, qui riposte avec une charge bloquée à son tour par l'homme-singe. Le combat s'anime. Les échanges sont rapides et puissants. Les sabres s'abattent sur les boucliers qui geignent. Les lames crachent des flammèches. Ader attire Lothar au corps à corps. Il frappe l'épaule du général avec le pommeau de son sabre. La douleur étourdit le père des jumeaux, qui encaisse un coup de tête en plein front. Sa vision s'embrouille. L'homme-singe disparaît derrière un brouillard lumineux, puis ses poings ferment les yeux du général. L'espace de quelques secondes, tout bascule. Le Mandrill rouge roue de coups son opposant. Lothar ne ressent plus rien, sinon un engourdissement voluptueux.

Lia étouffe un cri d'effroi. Son père pose un genou au sol, à demi vaincu.

— Je suis déçu. Je m'attendais à mieux, se désole Ader, qui jette son bouclier sur le côté, puis empoigne son sabre à deux mains. Quelles seront vos dernières paroles, Lothar?

Le général écarquille les yeux. L'enflure lui permet à peine de soulever les paupières. Après un effort accru, les contours de la brute se dessinent. Son visage affreux, serti d'un halo diffus, apparaît telle une icône démoniaque.

— Bien! Que mon rire couvre votre silence de son éternelle supériorité, ricane Ader.

Le Mandrill rouge abaisse son sabre sur Lothar. La lame étincelante trace un trait de feu dans l'air surchauffé. À l'instant, le général plonge sur le côté. Du pied droit, il fauche les jambes de l'homme-singe qui s'écrase lourdement au sol.

Le général a le souffle court. La chaleur, suffocante, ralentit ses réflexes. Le soleil cogne aussi fort que les poings et les pieds de son adversaire.

Le Mandrill rouge reprend pied. Son corps se déploie comme les ailes d'un albatros, large et puissant.

— Voilà qui est mieux! Une victoire trop facile aurait terni mon triomphe, se moque Ader.

Sans hésiter, Lothar passe à l'attaque. Il pivote sur lui-même, saute, puis décoche un coup de pied à la mâchoire de la brute. Un son glauque de joint qui se disloque surprend l'homme-singe. Impassible, le guerrier replace sa mâchoire dans l'axe. Les deux adversaires se dévisagent. Le Mandrill contracte les muscles de ses bras. Lothar anticipe l'assaut. De son pied droit, il se propulse sur la gauche. Le sabre d'Ader siffle le long de son oreille. La bête est vive; ses mouvements, imprévisibles. Mais sa vaste expérience permet au père des jumeaux de rivaliser. Il doit trouver un moyen de ralentir l'homme-singe.

Une tache de sang perce le tissu de la tunique d'Ader. Le général riposte. Son sabre frappe l'épaule blessée du Mandrill, qui émet un grognement de douleur. Le gorille n'est pas invincible. Il saigne et souffre comme tout homme! Lothar feint une attaque sur le flanc droit. Son adversaire amorce une parade pour un coup qui ne vient pas. Dans la fraction de seconde suivante, le général s'accroupit, étire le bras et lacère la cuisse de l'homme-singe. Aussitôt, le seigneur d'Angle-sur-Lac charge et renverse son adversaire avec son bouclier.

La foule reprend vie. Lia serre son frère dans ses bras. Leur père prend l'avantage du combat.

Le Mandrill roule sur lui-même pour éviter un coup d'estoc à la gorge. Le sabre de Lothar se fiche dans le sable. D'un coup de pied, Ader frappe le poignet du général, qui échappe son arme. Un second coup de pied l'atteint à la tête. L'homme-singe subtilise le sabre de son opposant. Quant à Lothar, il s'empare du bouclier du guerrier. Soudain, lui vient à l'esprit une tactique insolite inspirée de celles de sa fille. Le général s'élance. En courant, il jette le bouclier à la tête de son ennemi. Au moment où Ader bloque la rondache, deux pieds atterrissent sur sa poitrine et lui coupent le souffle. L'homme-singe reste suspendu dans les airs quelques secondes, plié en deux sous la force de l'impact, puis retombe au sol comme une poche de farine. Le général récupère son sabre, échappé par Ader.

De nouveau à forces égales, les deux combattants se font face. Les échanges reprennent. Les coups pleuvent. De partout. Sans répit. Quand l'un prend l'avantage, l'autre revient aussitôt en force. Les sabres virevoltent, s'entrechoquent et frappent. Les lames tailladent les flancs, les bras, les jambes. Le sable avide boit le sang qui coule. Les poings et les pieds matraquent les chairs meurtries. Bientôt, le soleil, épuisé, penche la tête vers l'ouest. La Terre poursuit sa rotation. Le combat perdure, plus dur que le temps implacable qui pousse la journée à son terme.

L'Ardent s'inquiète. Qu'arriverait-il advenant une victoire du général ? Comment réagirait la population de Bravor qu'il souhaite convertir au culte d'Ignos ? De manière discrète, le grand prêtre se retire derrière une colonne et glisse un mot à l'oreille d'un archer.

L'épuisement engourdit les muscles des deux guerriers, qui ont l'impression de combattre sous l'eau tant leurs coups sont lents et lourds. Le Mandrill rouge tente de coincer le bras de Lothar dans une clé de bras sans y parvenir. À bout de tactiques et de surprises, les deux opposants laissent tomber leurs armes et engagent le combat à poings nus. Debout l'un devant l'autre, à demi conscients, ils abandonnent toute défensive pour échanger coup pour coup. La violence des assauts, amplifiée par le son mat des jointures qui percutent les os du visage, oblige les spectateurs à détourner les yeux.

Puisant dans ses ultimes réserves d'énergie, le poing pendant au bout du bras, Lothar se penche sur le côté pour se donner un élan. Le général mobilise la force nécessaire pour imprimer un mouvement de torsion à son corps et propulser le poing final à la tête de l'homme-singe. Au moment où le poing atteint la mâchoire du Mandrill rouge, un spasme redresse les épaules de Lothar, qui se fige, les yeux grands ouverts. Ader ne comprend pas. Il fixe le regard vitreux du général, qui glisse sur les genoux. Derrière son adversaire apparaît un archer. Le soldat baisse son arc, l'air sérieux et satisfait de celui qui a accompli son devoir.

Pendant quelques secondes, Lia et Zaki demeurent en suspens, sous le choc. Le cauchemar s'étire et semble sans fin, comme une césure dans le temps. Un flottement étrange s'installe, bercé par les murmures. La vision de la mort de leur père s'impose à l'esprit des jumeaux. Mais ils refusent de donner foi à cette réalité atroce. L'espoir qu'il se relève et poursuive le combat empêche leur cœur d'éclater.

Le Mandrill rouge attrape Lothar avant qu'il ne s'effondre tête première dans le sable et le dépose délicatement sur le sol. Une flèche fichée entre les omoplates confirme la désolante fin du combat. Ader pousse un rugissement féroce qui terrifie la foule. Comment a-t-on pu lui dérober ainsi la gloire de vaincre un héritier des Tigres bleus? Folle de rage, la bête bondit en direction de l'archer. Il attrape son sabre et le pourfend. De nouveau, le Mandrill pousse un rugissement chargé de haine et de dégoût en se tournant vers l'Ardent. Le grand prêtre recule. Le Mandrill rouge avance. Ses yeux orange lancent des éclairs.

— Était-ce la volonté d'Ignos? crache Ader, les jointures blanches à force de serrer la poignée de son sabre.

— Tout sacrifice doit être offert avant la tombée de la nuit, balbutie le grand prêtre en pointant le soleil rougeoyant qui disparaît à l'horizon.

Le Mandrill rouge continue de fixer l'Ardent. Après un temps, il exhale par les naseaux comme un cheval, puis tourne les talons et quitte l'arène.

— Hé! Vous êtes les enfants du général, s'exclame une vieille femme assise tout près de Lia et de Zaki, qui s'enlacent et pleurent à chaudes larmes.

— Venez! intervient aussitôt Albéric Cyprien, qui se tenait en retrait. Ne traînassons point.

CHAPITRE 31

Tous les dignitaires de la cité de Bravor et du plateau du Tosmor sont réunis dans la chapelle du palais royal pour le mariage de la princesse Céria et du seigneur Morfydd. Une chaleur accablante pèse sur les épaules des invités qui, pour se rafraîchir, agitent des mouchoirs blancs devant leur visage luisant de sueur. De la nef, on dirait un millier d'oiseaux prêts à s'envoler. Les femmes retouchent leur fard à paupières tandis que les hommes desserrent le col de leur chemise. Un curieux espoir empreint de haine habite le cœur des nobles présents à la cérémonie. Cette alliance assurera la paix dans la région pour les générations futures, mais Morfydd et ses Mandrills rouges inspirent une peur viscérale. Comment faire confiance à ces créatures immondes ? Quelle paix peut-on espérer d'un monstre dont le surnom est « le Brutal » ?

L'Ardent s'installe devant l'autel. Sa toge orange ornée d'un soleil d'or flotte sur ses épaules. Derrière lui, le chœur entonne un hymne aux accents gutturaux à la gloire d'Ignos. Un sentiment d'extrême vulnérabilité essore les poumons des invités, qui jettent des regards furtifs en direction des Mandrills rouges postés aux quatre coins de la chapelle. Aucun garde du roi Adelphe n'a été autorisé à assister à la cérémonie. À l'extérieur, un contingent de mille guerriers Mandrills rouges occupe la Place des Ancêtres. Personne n'ose sortir dans les rues.

Le chœur termine son cantique. Soudain, l'Ardent lève ses bras décharnés au ciel. Les portes de la chapelle claquent contre le mur. Les invités sursautent. Debout dans l'entrée, Morfydd le Brutal sourit. Vêtu d'un justaucorps de velours marron liseré d'un ruban de soie, orné de broderie et de paillettes d'or, le seigneur de la Forteresse rouge gonfle le torse. D'un pas lourd, il traverse l'assemblée, accompagné d'une musique militaire.

Morfydd prend position au pied de l'autel à la droite du roi Adelphe. Malgré ses efforts pour maintenir un visage neutre, la haine trace un profond sillon sur le front du souverain. L'Ardent prononce quelques paroles inaudibles, les bras levés, les paumes tournées vers le haut. Adelphe déglutit. Le moment qu'il redoutait arrive. Une nouvelle musique pompeuse emplit la chapelle. La mariée apparaît dans l'entrée, un voile nuptial recouvrant son visage. La princesse porte une longue robe de satin de soie blanche aux manches amples. Les motifs brodés sur le corsage représentent les flots impétueux du célèbre fleuve Vital, le fleuve asséché devenu aujourd'hui le fleuve de Sable. D'un pas hésitant, elle rejoint son promis devant l'autel, tenant dans ses mains gantées un bouquet de lis bleus à la hauteur de la poitrine. Sur sa tête repose un diadème d'or, symbole de la royauté tant convoitée par Morfydd.

La musique cesse. L'Ardent descend au pied de l'autel.

— Ô Ignos, dieu du feu, nous voici aujourd'hui réunis pour célébrer l'union royale du seigneur Morfydd et de la princesse Céria.

Le grand prêtre ouvre la main droite, puis souffle la flamme qui danse sur sa paume en direction du couple.

— Que ta flamme éternelle bénisse les futurs époux.

D'un pas lent, presque laborieux, l'Ardent traîne sa carcasse squelettique jusqu'au milieu de l'allée en psalmodiant, puis revient prendre place devant le Brutal et la princesse.

— Ô Ignos, feu sacré qui anime toute chose, accorde à ton serviteur la main de la princesse Céria pour qu'il accomplisse ta volonté. Morfydd, dit le Brutal, acceptes-tu comme fidèle épouse Céria, fille d'Adelphe d'Enguerrand, régent des peuples de Hudor ?

— J'accepte, déclare Morfydd, qui se tourne vers la mariée.

— Céria, princesse héritière de la longue lignée des Enguerrand, souverains de Hudor, acceptes-tu comme fidèle époux Morfydd, dit le Brutal, seigneur de la Forteresse rouge ?

La princesse ne répond pas.

La pomme d'Adam coincée en haut de la gorge, l'Ardent fixe la jeune femme en attente de la réponse pour achever sa déglutition. Les invités s'échangent des regards intrigués. Céria pourrait-elle refuser le mariage ?

— Céria, reprend le grand prêtre, princesse héritière de la longue lignée des Enguerrand, souverains de Hudor, acceptes-tu comme fidèle époux Morfydd, dit le Brutal, seigneur de la Forteresse rouge ?

Le temps s'immobilise de nouveau. Le sort de la cité de Bravor et de tout le royaume dépend de la réponse de la princesse. Adelphe essuie une goutte de sueur qui dégouline le long de son visage émacié.

Le roi semble avoir vieilli de dix ans depuis le début du tournoi.

Au moment où Morfydd tend la main pour saisir l'épaule de sa fiancée, celle-ci se tourne vers son futur époux, lève les bras au-dessus de sa tête et abat la base du bouquet de lis sur Morfydd. La lame dissimulée dans les fleurs vise la carotide. Surpris, le Brutal effectue un mouvement de recul qui lui permet d'éviter le coup. La foule pousse un cri de stupeur. Adelphe brandit à son tour une dague qu'il tente de ficher entre les omoplates de Morfydd, mais sans succès. En pivotant sur lui-même, le Brutal désarme le souverain. De son côté, la jeune femme retire son voile, semant la stupéfaction dans l'assemblée.

— Ce n'est pas la princesse! s'écrie une noble assise au premier rang.

Lia, qui a pris la place de Céria, arrache les froufrous de sa robe pour mieux se battre. Morfydd entre dans une colère démente:

— Où est la princesse?
— Aussi loin que possible de votre sale trogne, persifle la fille du général.

Les Mandrills rouges, postés à l'avant et à l'arrière de la chapelle, dégainent leur sabre et s'élancent à la rescousse de leur maître.

— Vous qui aimez tant les singes, pourquoi ne mariez-vous pas une guenon? crache la jeune fille.

Albéric Cyprien et Aubert Tibaud, cachés dans le jubé, arc au poing, transpercent un à un les Mandrills rouges avant qu'ils n'atteignent Lia. Tout près, le grand prêtre fait croître entre ses mains une boule de feu:

— Ô Ignos, abats ton courroux sur ces profanateurs!

D'un coup de pied arrière directement dans le diaphragme, Lia lui coupe le souffle. L'Ardent devient tout bleu, puis s'effondre sur le côté, les yeux exorbités.

— Éteins-toi! ricane la fille de Lothar.

Du pied, Lia écrase la flamme naissante dans la paume de la main du vieil ecclésiastique qui se tord de douleur.

Le tapage et les cris alertent le commandant Ader qui montait la garde à l'extérieur de la chapelle au cas où les troupes du roi Adelphe se soulèveraient.

L'homme-singe tente d'ouvrir la porte, mais les invités l'ont bloquée de l'intérieur avec des bancs.

— Seigneur Morfydd! Que se passe-t-il? Seigneur Morfydd!

— La porte ne tiendra pas, il te faut fuir, Lia! somme le roi Adelphe, qui se jette sur le Brutal.

Morfydd empoigne le souverain à la gorge et le soulève:

— Vieil imbécile!

La jumelle s'élance. La lame de sa dague taillade l'arrière de la cuisse du monstre. Morfydd tourne le visage en direction de son assaillante, les babines retroussées. Avant que Lia n'ait pu récidiver, il rompt la nuque du roi Adelphe, puis projette le corps inanimé sur l'autel.

— Nooooon! hurle Lia.

Albéric Cyprien et Aubert Tibaud, qui sont descendus du jubé pour prêter main-forte à la jeune fille, s'interposent entre elle et le Brutal. À l'entrée, les coups de bélier répétés viennent à bout du portail. Ader et les Mandrills rouges envahissent la chapelle. Déchaînées, les bêtes massacrent sans pitié les invités.

— Gente fillote, fuyez! ordonne Albéric Cyprien.

Lia refuse.

— Morfydd doit mourir!

— Ne soyez pas idiote. Le sort du royaume repose entre vos mains. Protégez la princesse.

La jeune fille hésite. Les Mandrills rouges se rapprochent. Encore quelques secondes et il sera trop tard. Elle doit rejoindre Zaki et Céria au plus vite...

Morfydd bondit en direction de Lia, sabre au poing, mais Albéric Cyprien et Aubert Tibaud lui bloquent le passage. Le Brutal engage le combat contre les valeureux émissaires du roi.

Les hommes-singes s'attroupent autour de Lia. Il ne reste plus qu'une issue. La jeune fille saute par-dessus un banc renversé, flanque un coup de pied au menton d'un Mandrill rouge qui lui barre la route, oblique vers la gauche, effectue une glissade pour éviter un coup de sabre, se relève, bondit, agrippe une longue draperie qui orne le vitrail ouest, puis se met à grimper. En haut, elle s'élance sur la passerelle du jubé. Plus loin au plafond, elle aperçoit un puits de lumière. D'une seconde à l'autre,

Ader, le commandant des Mandrills rouges, va la rattraper. Le puits est trop haut... Comment faire pour l'atteindre? Lia se retourne:

— Allez, le gorille, amène-toi!
— Argh!

Ader contracte les muscles puissants de ses cuisses et se jette sur Lia, qui demeure immobile.

Albéric Cyprien lève les yeux:

— Morbleu! Sauve-toi!

Mais Lia ne bronche pas. Elle fléchit les jambes, les bras le long du corps. Le Mandrill fronce les sourcils, déterminé à pourfendre la rebelle. À l'instant où l'homme-singe abaisse son sabre sur la tête de Lia, la jeune fille le bat de vitesse. Elle se jette sur lui. En deux mouvements, elle appuie son pied droit sur le ceinturon d'Ader, le gauche sur son épaule, puis se propulse vers le haut. Elle fracasse le vitrail du puits de lumière de ses poings fermés et s'accroche au rebord du toit. Le Mandrill rouge pousse un cri de rage en tentant d'attraper la cheville de la fuyarde. Une fois sur le toit, Lia se penche au-dessus du trou pour adresser une grimace au Mandrill:

— Adieu, macaque!

Sans attendre la réponse du commandant des Mandrills rouges, la jumelle court jusqu'au bout de la bâtisse. L'espace entre la chapelle et la muraille est trop grand. Même avec un élan, elle risque de manquer son coup et de s'aplatir au sol comme une crêpe. En jetant un œil vers le bas, elle aperçoit le déploiement des troupes de Mandrills rouges qui encerclent la chapelle. Lia n'a plus le choix. Elle doit sauter...

La jeune fille recule d'environ cinq mètres jusqu'au puits de lumière. Ader se hisse en même temps sur le toit.

— Gueule de fion, tu n'abandonnes jamais? lance Lia.

La jumelle tourne le dos à l'homme-singe et s'élance à toute vitesse vers la muraille. Soudain, apparu de nulle part, un rokh à l'œil vitreux se dresse devant elle, immobile dans les airs. Trop tard pour freiner! Lia saute... Ses pieds quittent les tuiles du toit... Elle survole le vide... Ses mains battent l'air devant elle. Ses doigts s'ouvrent et se ferment. Impossible d'atteindre la muraille. La chute s'amorce. Lia tend le bras. In extremis, sa main agrippe la patte de l'oiseau. Elle ne lâchera pas cette bouée de sauvetage inattendue. Les jambes pendantes, la jumelle ramène l'autre main plus haut. Elle enfonce ensuite les poings dans le plumage de l'oiseau de la foudre qui piaille à en crever les nuages. Incapable de projeter la jeune fille au sol avec son bec acéré, la bête ailée s'élève dans le ciel et exécute une série de boucles et de vrilles. Lia tient bon malgré ce rodéo aérien. Après quelques tentatives, elle parvient à s'asseoir à califourchon sur le rokh. L'animal fou se redresse dans le ciel.

— Bonne bête, bonne bête...

Le rapace semble se calmer. Lia lui caresse la tête. Son vol se stabilise au-dessus des bâtiments. Il prend de l'altitude. Le vent dans les cheveux, la jeune fille admire la ville à ses pieds. Une sensation grisante de complète liberté pulse dans ses veines. *C'est génial!* Elle pousse un cri de joie: « Wouhoo! »

Ce sentiment d'allégresse se coince dans sa gorge. Sans prévenir, le rokh pique du nez, semblant tomber en chute libre. Lia passe les bras autour du cou de l'oiseau et se colle à son dos. Le vent et la vitesse brouillent ses yeux de larmes. *On va s'écraser!* Comme s'il s'agissait d'un cheval, elle se met à tirer le cou de l'animal vers l'arrière pour le freiner. Le rapace déploie les ailes pour reprendre son équilibre. Lia hurle. Le sol n'est plus qu'à quelques mètres. Luttant pour se libérer de la prise de sa passagère, l'oiseau fait de brusques embardées.

Ses pattes s'agitent sous son corps qui continue de tomber. Lia se cambre et tire encore plus fort. En vain. La bête s'écrase lourdement sur le pavé en plein milieu d'une rue, soulevant un nuage de poussière brune. Sous l'impact, Lia est propulsée deux mètres plus loin. La jeune fille effectue des tonneaux et va se cogner contre le mur d'un immeuble. Elle se redresse sur les fesses tandis que le rokh s'ébroue et reprend son envol.

— T'aurais pu m'emmener plus loin!

Avant que les Mandrills rouges ne la repèrent, elle bondit sur ses pieds et se sauve.

CHAPITRE 32

Dans la salle de guerre, Zaki fixe sans le voir le portrait du roi Eutrède le Pacificateur. À cette heure, Lia, le roi Adelphe, Albéric Cyprien et Aubert Tibaud devraient les avoir rejoints depuis longtemps. Le jeune homme craint le pire.

— C'était à moi d'assassiner Morfydd..., rage la princesse Céria.

— La nuit va bientôt tomber. Nous ne pouvons plus attendre. À quelle distance se trouve le prochain village ?

Céria ignore la question de Zaki. La honte étreint son âme. Pourquoi s'est-elle laissé convaincre de s'enfuir plutôt que de combattre ?

— Princesse, nous ne pouvons pas rester ici.

— Mon père est en danger...

— Il faut suivre le plan. Puisqu'ils ne sont pas déjà arrivés, Sa Majesté le roi, ma sœur, Albéric Cyprien et Aubert Tibaud vont nous rejoindre au bourg le plus près.

— Je refuse de partir sans mon père.

Zaki saisit la main de la princesse, qui se dégage d'un geste brusque:

— Ne me touchez pas!

Le jeune homme en reste coi. Bien qu'il comprenne l'entêtement de la princesse, il s'inquiète, car plus le temps passe, plus ils risquent d'être découverts et faits prisonniers. Avec précaution, Zaki pousse la lourde porte dérobée dans le mur de pierre entre les étagères de parchemins. Un grincement lugubre provoque l'accélération de son rythme cardiaque. L'écho rebondit contre les murs de la pièce et s'échappe de l'autre côté vers la salle de réception. Zaki passe la tête derrière la draperie rouge aux bordures dorées qui dissimule l'accès à la salle de guerre.

— La voie est libre, annonce le jumeau, qui pénètre dans la salle de réception.

Aussitôt, les portes s'ouvrent avec fracas. Un Mandrill rouge projette au sol un garde du roi, qu'il achève à coups de hache dans la poitrine. La bête braque son regard orange sur Zaki, la hache dégoulinante à la main. En quelques secondes, une vingtaine d'hommes-singes envahissent la salle.

Le jeune homme rebrousse chemin et ferme la porte derrière lui.

— Vite! s'exclame Zaki. Nous devons fuir!
— Je veux me battre!

De puissants coups d'épaule ébranlent la porte et soulèvent la poussière accumulée entre les poutres du plafond et les pierres du mur, si bien que les parchemins tombent des étagères. L'écho gronde comme l'Esprit du désert avant une tempête de sable. À l'aide de sa hache, un Mandrill rouge réussit à créer une brèche dans la porte. Il rengaine son arme, puis finit d'arracher la planche à mains nues. Dague au poing, Céria s'élance sur lui.

— Princesse, revenez!

Elle taillade la paume de l'homme-singe qui l'attrape par les cheveux. Zaki fonce sur le guerrier et le frappe au poignet avec son sabre. Le métal du canon d'avant-bras encaisse le choc, émettant un tintement rauque de tôle bossée. Sans hésiter, le garçon soulève de nouveau son arme, mais cette fois-ci, il tranche les cheveux de la princesse. Au ras du crâne. Céria, qui tirait pour se dégager, s'étale sur le plancher. Zaki la prend sous les bras, la relève, puis la pousse en direction du tunnel. Il empoigne ensuite le chandelier, renverse derrière eux deux étagères pour bloquer le passage à leurs ennemis et met le feu aux parchemins et aux livres.

— Courons!

En quelques secondes, les flammes envahissent la pièce. Une fumée dense emplit le corridor qui mène à l'extérieur. Pour ne pas suffoquer, les deux fugitifs se jettent à quatre pattes. Au bout d'une centaine de mètres, une main rude saisit la cheville de Zaki. Derrière lui, un Mandrill en feu tente de l'empêcher d'avancer. Sa crinière flambe comme une torche, ses sourcils se tortillent comme des brins d'herbe sur des braises. Un démon sorti de l'enfer!

— Lâche-moi! hurle Zaki, pris de panique. Lâche-moi!

L'homme-singe tient bon. Ses doigts puissants creusent des sillons dans la peau du garçon, puis se relâchent après un effort ultime pour maintenir la pression. Une convulsion secoue son corps brûlé. Ses yeux orange s'éteignent. La mort fige un rictus sinistre sur la gueule du terrible combattant.

— Nous y sommes! s'écrie Céria plus loin.

Hors du tunnel enfumé, la princesse accueille avec soulagement les rayons du soleil couchant. À cette heure, le Colisée ressemble à la coquille vide d'un escargot. Elle prend une longue bouffée d'air pur. Son regard se pose sur les armoiries de sa famille qui ornent le balcon de la loge royale. Son visage s'assombrit. Pendant combien de temps encore le drapeau bleu et blanc flottera-t-il sur le plateau du Tosmor?

— Allons-y! ordonne Zaki, qui l'a rejointe.

Les deux traversent l'arène à la course jusqu'au centre. Derrière eux, une silhouette menaçante se profile sur le sable du haut de la loge royale. Morfydd s'installe, les jambes écartées, les bras dans le dos, les défiant du menton. Son terrible rire éclate comme un tronc d'arbre frappé par la foudre. Céria et Zaki se retournent aussitôt. Sortis des donjons et des couloirs d'accès, des centaines de Mandrills rouges avancent vers eux. La fumée cesse de s'échapper du tunnel. D'autres hommes-singes en émergent. L'incendie a été maîtrisé. Par instinct, le jumeau dégaine son sabre. Bien qu'il ait prouvé sa vaillance, Zaki ne pourra pas rivaliser contre un aussi grand nombre d'adversaires. N'empêche, le jeune homme se battra à mort. À défaut de sauver sa vie et celle de la princesse, il sauvera l'honneur.

Céria, la dague tendue au bout du bras, maudit les hommes-singes.

— Jamais je ne vous épouserai! hurle-t-elle en direction de Morfydd.

Les Mandrills rouges continuent leur progression d'un pas régulier.

— Où est mon père?

— Nous n'aurons plus besoin de sa bénédiction. Votre père a rejoint ses ancêtres, répond Morfydd tandis que deux gardes balancent par-dessus le balcon le corps inerte du roi Adelphe.

Un spasme coupe les jambes de Céria, qui tombe à genoux. Ses yeux s'emplissent de larmes. Le destin, implacable guillotine, s'abat sur sa tête. Après lui avoir nié le bonheur de connaître sa mère, le voilà qu'il lui vole son père. Une tristesse infinie la happe. Son cœur se serre, oppressé par la douleur. Désormais, elle est seule au monde.

— Père...

Les hommes-singes se rapprochent. La jeune femme lève la tête, les yeux injectés de haine. Ses doigts fins agrippent avec fermeté le manche de la dague. Curieusement, sa main ne tremble pas. Un sourire amer étire ses lèvres roses. Elle tient au bout de la lame l'opportunité de venger la mort de son père. Elle tuera tous ceux qui tenteront de poser leurs sales pattes sur elle. Sa respiration, au lieu de s'emballer, ralentit. La princesse se redresse. Elle anticipe le combat avec calme et détermination.

Au-dessus d'elle passe une flèche qui termine sa course dans le poitrail d'un Mandrill rouge.

Zaki se tourne en direction de l'entrée principale du Colisée.

— Lia!

Sa sœur, montée sur un agile mustang noir pommelé de gris, fonce à leur rencontre. Albéric Cyprien et Aubert Tibaud la suivent de près sur leur propre monture.

— Attrapez-les! ordonne Morfydd.

Les Mandrills rouges se mettent à courir dans leur direction. Avec quelques centaines de mètres d'avance sur ses troupes, Ader se jette sur Zaki. Le garçon esquive le premier coup de justesse, puis riposte. Son sabre effleure le visage de l'homme-singe, qui effectue une glissade et lui fauche les jambes. D'un mouvement vif, la bête prend son élan pour abattre son sabre sur la tête du jumeau. Or, la lame fend l'air, car le Mandrill rouge est percuté violemment par le cheval de Lia et tombe à la renverse.

— J'espère que t'as des côtes fracturées, raille la jeune fille.

Sans perdre un instant, Albéric Cyprien se précipite auprès de la princesse.

— Votre Majesté, empoignez ma paluche!

Céria se hisse derrière le Bravorois tandis qu'Aubert Tibaud récupère Zaki.

— Fuyons ces merdailles prestement!

Les deux chevaux foncent vers l'entrée de l'amphithéâtre. Mais Lia ne les suit pas. Elle saute en bas de sa monture.

— Que fais-tu? s'écrie Zaki.

La jumelle se penche au-dessus d'Ader, toujours ébranlé par la collision.

— T'as quelque chose qui m'appartient, tête d'épouvantail à vautours!

Elle étire le bras pour reprendre le sabre bleu de son père accroché au ceinturon de la bête. Le commandant des Mandrills rouges a recouvré ses esprits et esquisse un sourire satisfait. La proie vient à lui sans qu'il ait à la pourchasser. Des deux mains, il attrape la jeune fille par le cou, se dresse sur ses pieds et la soulève à bout de bras dans les airs.

— Ton père était un valeureux guerrier. J'aurais préféré ne pas avoir à te tuer.

Ne pouvant atteindre son sabre, Lia détache la toque qui retient sa tignasse bleutée. Ader accentue la pression sur son cou pour l'étouffer. La jumelle lève le bras, le visage pourpre, les poumons comprimés. Elle se sent faiblir. Sa vision s'embrouille, ses membres s'engourdissent. Avant de manquer d'oxygène et de s'évanouir, elle fiche un pic à cheveux dans la mâchoire de l'homme-singe, qui lâche prise.

— Que de douleur se tordent nos ennemis! rage Lia en toussotant.

Elle récupère le sabre bleu puis, d'un bond, grimpe sur sa monture. Bien en selle, elle distribue des coups de sabre aux Mandrills qui l'ont rattrapée et déguerpit au galop.

Une fois à l'extérieur de l'enceinte du Colisée, constatant qu'ils ne sont pas suivis, Lia et Zaki poussent des cris de victoire. À bride abattue, ils poursuivent leur route jusqu'au village de Sault-les-Arpents, à l'orée du désert.

— Passons la nuitée dans une auberge, propose Albéric Cyprien.

— Non, continuons, rétorque Lia.

— Voyager noctalement dans le désert est chose trop périlleuse, gente damoiselle. De surcroist, nos gourdasses sont vides et nos tripailles crient famine. Nous devons nous repaistre et faire des provisions.

— Morfydd va se lancer à notre poursuite, nous ne pouvons pas perdre une minute!

— Si le malcréant vouloit nous prendre en chasse, ses gorilles seroient sans respit à nos trousses. Il prépare de nous mortir, mais pas le jour d'hui.

Lia scrute l'horizon. Le ciel vide et le soleil qui tangue à l'ouest la convainquent.

— D'accord. Nous partirons au lever du soleil.

***

Angle-sur-Lac

Quelques jours après le retour de Zaki et de Lia à Angle-sur-Lac, des funérailles officielles sont organisées en l'honneur de Lothar et du roi Adelphe d'Enguerrand. Une semaine de deuil est décrétée et la veuve du seigneur de guerre, Azara, prend le commandement de la milice en attendant la nomination du prochain général.

Devant le tombeau symbolique, la princesse Céria émerge péniblement de la sombre tristesse qui assaille son âme depuis la mort de son père. Elle se tourne vers les jumeaux, les yeux rougis par les pleurs :

— Je suis la reine... désormais. Vous m'avez sauvée des griffes du Brutal. Je vous en serai éternellement reconnaissante.

— Nous vous aiderons à vaincre Morfydd et à unifier le royaume, répond Lia, secouée par les sanglots.

Les deux jeunes femmes se jettent dans les bras l'une de l'autre. Zaki s'approche.

— Nous le jurons ! renchérit-il.

Après la cérémonie, Ostarak, le chamane, rentre dans sa masure. Comme le veut la coutume après le décès d'un chef de guerre, il prépare un filtre à base de viscères de corbeaux. Cette mixture divinatoire lui permettra de percer à jour l'avenir du village. Le liquide nauséeux, saturé de grumeaux visqueux, glisse mollement dans son estomac. Le vieil homme réprime un haut-le-cœur. De violentes crampes lui tenaillent le ventre. Quelques minutes à peine suffisent à lui ouvrir l'esprit sur les événements prochains. Tout lui apparaît aussi clairement que son reflet dans un miroir. Une fine sueur s'accumule dans ses sourcils. Des tremblements secouent le haut de son corps. Pris de convulsions, il s'écroule au sol, labourant de ses mains crispées la chair de son visage.

La vision s'estompe, puis Ostarak se précipite dehors. Il traverse la place centrale au pas de course. Sans reprendre son souffle, il grimpe les marches de la tour de guet. Arrivé en haut, il rejoint le garde qui demeure immobile, les yeux fixés sur l'horizon.

— Une tempête de sable se prépare, affirme le soldat d'une voix neutre.

— Non, bien pire..., bredouille le chamane.

Au loin, un millier de rokhs barrent le ciel d'un trait noir.

À suivre

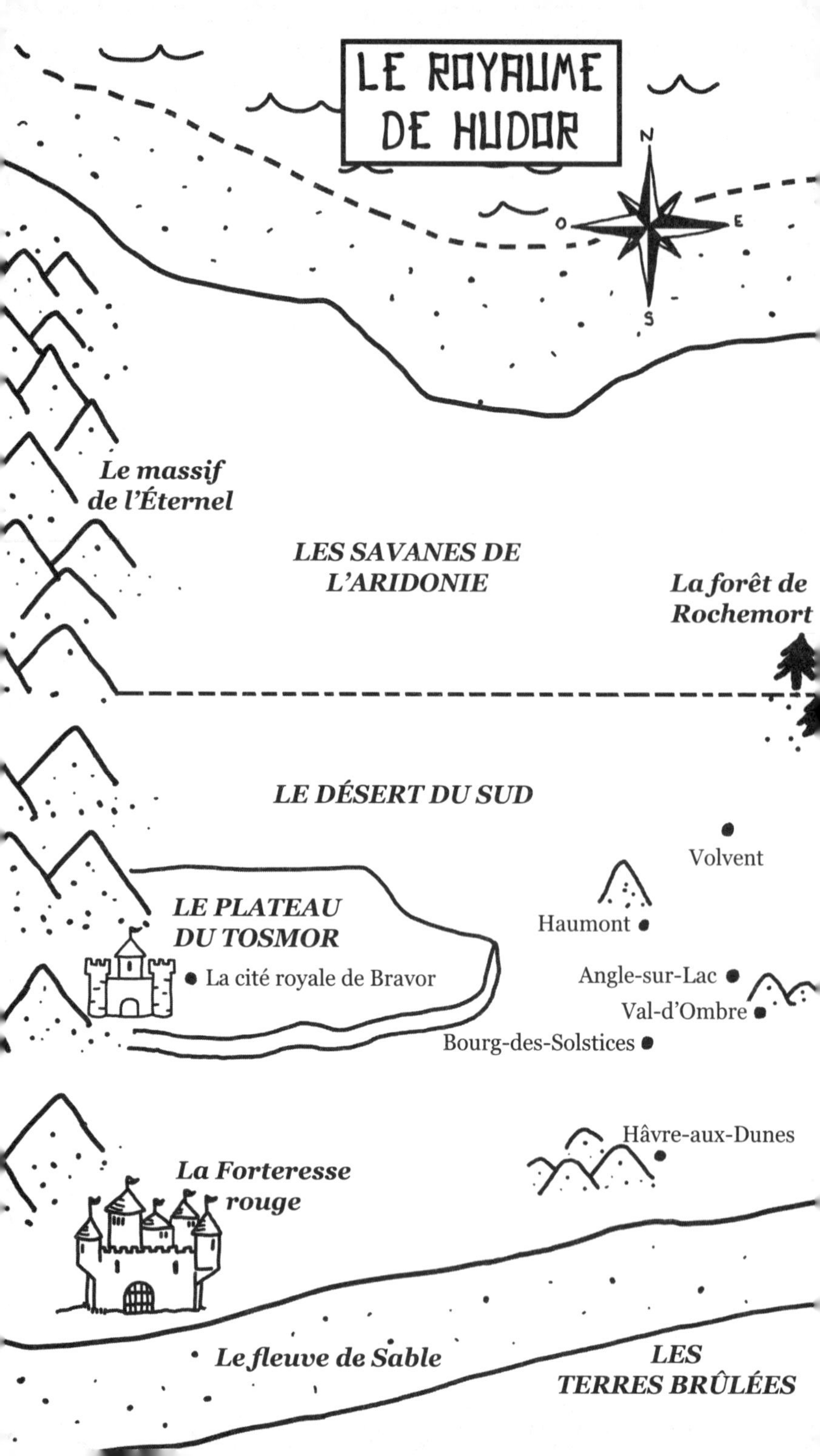
LE ROYAUME DE HUDOR
N
O
E
S
Le massif de l'Éternel
LES SAVANES DE L'ARIDONIE
La forêt de Rochemort
LE DÉSERT DU SUD
Volvent
Haumont
LE PLATEAU DU TOSMOR
La cité royale de Bravor
Angle-sur-Lac
Val-d'Ombre
Bourg-des-Solstices
Hâvre-aux-Dunes
La Forteresse rouge
Le fleuve de Sable
LES TERRES BRÛLÉES

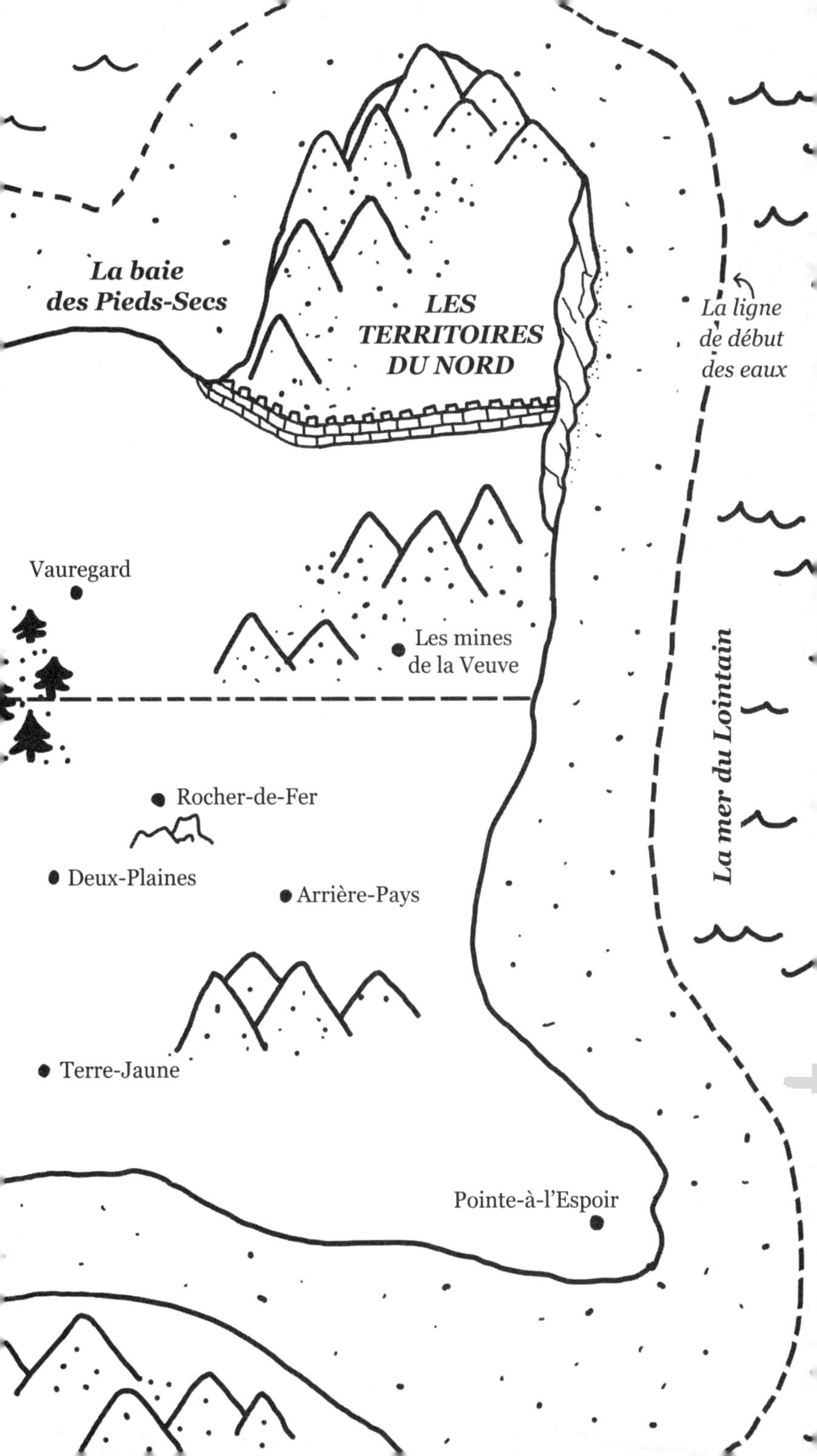
La baie
des Pieds-Secs
LES
TERRITOIRES
DU NORD
La ligne
de début
des eaux
Vauregard
Les mines
de la Veuve
La mer du Lointain
Rocher-de-Fer
Deux-Plaines
Arrière-Pays
Terre-Jaune
Pointe-à-l'Espoir

REMERCIEMENTS

Un merci rempli d'amitié à Antonio Di Lalla, mon premier lecteur, pour ses conseils, son écoute, sa sagesse et son immense générosité. Un merci tout spécial à son petit-fils, Danik, pour ses précieux commentaires.

Merci à ma plus fidèle lectrice, maman, qui a lu et relu mon manuscrit. Merci aussi à ma petite sœur, complice de toujours, et à mon épouse qui a dû endurer mes absences mentales lorsque mon récit accaparaît toutes mes pensées.

Enfin, merci à toute l'équipe des Malins, tout particulièrement à Katherine, pour son remarquable travail d'édition, sa minutie, la pertinence de ses commentaires, de ses questions et de ses réflexions.